Le Cœur Créateur

Denise Noël

Le Cœur Créateur

Éditions Créacœur

De la même auteure :

Bungee, Vibrato et Tango - Transformez vos impasses et conflits en passion créatrice, Éditions du Roseau, 2006.

Coups de foudre à cultiver, CD de ses chansons, 2006.

Pour rejoindre l'auteure :

info@improrelations.com
www.improrelations.com

Illustration de la page couverture : Denise Noël, *Le Cœur Créateur*, 2010

Conception de la couverture et de la maquette intérieure : Geneviève Desautels

Photographie de l'auteure : Jean-Sébastien Cossette

ISBN : 978-2-9812028-0-2
Dépôt légal : 3e trimestre 2010
Bibliothèque et Archives nationales du Québec, 2010
Bibliothèque et Archives Canada, 2010

Imprimé au Canada

Éditions Créacœur

Remerciements

Je tiens à remercier tous ceux et celles qui ont participé avec moi aux *Improrelations*, particulièrement ceux qui figurent dans ce livre ainsi que les quatre artistes dont je raconte le parcours amoureux et créateur au dernier chapitre. Sans eux, *Le Cœur Créateur* n'existerait pas. Je dois aussi une fière chandelle à Denise Neveu qui m'a donné si généreusement de son temps pour m'aider à organiser et à réviser l'ensemble du livre. Merci à Paul Martel qui m'a offert de tout relire mon manuscrit pour faire la chasse aux fautes égarées. Merci aussi à Jocelyna Dubuc et à Gérard Marinovich pour m'avoir permis d'écrire dans un décor si inspirant.

Enfin, je dois tout au Cœur Créateur et à DJ Allegro qui me portent et m'inspirent depuis tant d'années. Ce sont eux les véritables auteurs de cet ouvrage.

Parcourez ce livre en partant du bon pied

« Nous vivons dans une réalité où foisonnent les prodiges, mais ils sont vus uniquement par ceux qui ont développé leurs perceptions... Si on n'est pas unis, on ne saisit pas le prodige. »

Alexandro Jodorowsky, *La danse de la réalité*

Dans quoi je me mets les pieds au juste ?

Improvisation : Interactive

Thème : Votre vie dans la Vie

Participants : Le monde entier

Objectif : La création amoureuse à partir de tout et de rien pour la plus grande joie de tous (la vôtre aussi !).

Vous êtes sur le point d'entrer, comme Alice au Pays des Merveilles, dans un univers fascinant. Si vous plongez corps et âme dans ce nouvel art interactif que sont les *Improrelations*, vous deviendrez un canal pour les possibilités inespérées du Cœur Créateur.

En participant à cette aventure créatrice et amoureuse, vous libérerez vos dons essentiels. Vous connaîtrez au quotidien l'état de grâce des artistes dédiés à leur création. Vous improviserez du même coup un monde captivant et épanouissant pour tous.

Devenir un canal pour le Cœur Créateur est une expérience recherchée, plus ou moins consciemment, par la plupart des gens que je rencontre. Pas étonnant ! Son univers est fait de connexions créatrices et amoureuses vibrantes qui nous relient à ce qui nous habite et nous entoure d'une manière qui dépasse nos plus belles espérances.

Ne vous inquiétez pas, dès le premier chapitre, je vous présenterai ce grand Cœur doué en bonne et due forme. Pour l'instant, imaginez-le comme une espèce de DJ, extrêmement talentueux et rassembleur, qui se consacre à l'aide humanitaire.

Comment pratique-t-on cet art ? En développant une manière inédite d'interagir avec tout ce qui nous arrive : nos amours, nos créations, nos dons, nos projets, nos échecs, nos succès, nos conflits, nos joies, nos rêves, nos peines, nos colères…

C'est ce que vous ferez dans les pages qui suivent où je vais vous montrer comment appliquer les règles de l'improvisation à tout ce qui se présente à vous. Ces règles vous permettront de vous laisser rejoindre par les possibilités amoureuses et créatrices cachées dans ce que vous vivez et rencontrez.

Chemin faisant, vous découvrirez comment recevoir et offrir, comme un don, ce qui se passe en vous et autour de vous, du plus sombre au plus lumineux. C'est la clé pour libérer vos dons essentiels et mettre au monde des possibilités nouvelles qui répondent à vos aspirations les plus chères pour le plus grand bien de tous.

C'est ainsi, qu'au jour le jour, vous connaîtrez l'état de grâce sur la scène de vos vies.

Attention à la marche à suivre !

Chaque chapitre vous enseigne un des mouvements de cette improvisation interactive. À travers des principes, des règles d'improvisation et des exemples puisés dans mes rencontres avec mes participants. Il se termine sur des pratiques à la fois ludiques, concrètes, créatives et profondément transformatrices.

Ces huit mouvements visent le même but : vous amener à aimer et créer en accord avec les rythmes et les courants riches du Cœur Créateur. Vous apprendrez à vous laisser rejoindre par les possibilités créatrices et amoureuses qui sont contenues dans tout, tout, tout ce que vous vivez et rencontrez, et à les transmettre.

D'un chapitre à l'autre, à partir d'un angle différent, vous vous exercerez à faire les deux choix, les trois sauts et la respiration propices à l'état de grâce : en présence de l'échec, de la vérité, de l'inconnu, de l'imprévu, de l'autre, de l'adversité, de la négativité et enfin, du champ plus vaste qui nous relie amoureusement et nous libère créativement d'instant en instant.

Si vous êtes du genre à bouder les exercices pratiques suggérés dans les livres, ne vous obligez pas à faire ceux que je vous propose. Par contre, je vous encourage fortement à les lire. Leur description contient autant d'enseignements que le corps des chapitres. Si jamais, en les parcourant, une pratique vous fait un clin d'œil ou vous parle plus que les autres, allez-y, faites-la ! Vous en récolterez plus que vous ne pouvez l'imaginer.

Si vous aimez plonger dans l'expérience avant d'en saisir les rouages, ne vous gênez pas pour commencer par le dernier chapitre (pour ensuite revenir au premier et lire les suivants à la queue leu leu). J'y raconte l'histoire d'un groupe d'artistes qui désiraient créer ensemble, et ce faisant, retrouver leur liberté d'être, d'aimer et de s'exprimer. Vous serez témoins des conflits que ces personnes ont vécus. Des étapes qu'elles ont traversées pour devenir, chacune à sa manière, un canal pour le Cœur Créateur. Afin de mieux les suivre, consultez, à la fin du livre, le lexique des termes que j'ai créés et qui s'intitule : *Les mots du Cœur Créateur*.

Vous préférez comprendre les différentes composantes d'une approche avant de l'aborder plus intuitivement dans son ensemble ? Alors suivez l'ordre des chapitres pour avancer pas à pas dans ces territoires nouveaux.

Où est-ce que ça s'en va au juste cette histoire-là ?

En vous ouvrant à l'univers du Cœur Créateur, vous sortirez de votre isolement. Vous transformerez vos impasses en possibilités étonnantes. Vous aimerez sans retenue, sans tiédeur. Vous jouirez de chaque instant à toute vapeur. Vous exprimerez de manière unique et gratifiante votre essence et vos dons. Vous réaliserez ce qui vous tient à cœur au-delà de ce que vous pourriez imaginer (mais pas toujours sous la forme que vous pensiez). En prime, vous participerez à la naissance d'un monde inespéré pour tous.

Bien entendu, vous traverserez aussi des passages épineux et rencontrerez des adversaires de taille. Mais, si vous appliquez les clés et les pratiques que je vous offre, vous les franchirez beaucoup plus aisément pour déboucher sur un monde insoupçonné.

Alors, si vous voulez improviser des merveilles au quotidien à partir de tout ce qui se passe dans vos vies, suivez-moi sur le plancher de danse pour rencontrer ce DJ légendaire qu'est le Cœur Créateur.

PREMIER
MOUVEMENT

Aimez et créez en duo
avec le Cœur Créateur

ou comment être un Picasso sans toucher au pinceau

~

L'invitation, la règle d'improvisation, l'essentiel

~

L'art des intentions coureuses de fond

« Dans chaque enfant il y a un artiste. Le problème c'est de savoir comment rester un artiste en grandissant. »

Picasso

« Ce fut un temps extraordinaire parce que j'ai réalisé qu'il y avait une autre intelligence à l'œuvre — l'art se créait lui-même. »

Michael Jones, *Artful Leadership*

« Il n'y a ni ici ni ailleurs, ni en deçà ni au-delà, —— simplement, un monde d'accords créant ordonnance et unité nous appelle, mais nous pouvons rester notre vie entière dans l'attente jamais comblée de ce qui, ici et maintenant, saura l'incarner. »

Hélène Dorion, *L'étreinte des vents*

« Le moi relationnel est non-local ; ce n'est pas une "chose" logée à l'intérieur d'une personne, d'un lieu ou d'un objet. C'est un champ qui contient les personnes, les lieux et les choses dans des interconnexions vivantes. Ce champ peut être senti, compris et utilisé de maintes et maintes façons. »

Stephen Gilligan, *The Courage To Love*

Un monde inespéré à la portée de tous

Je parie que vous avez déjà rêvé d'être un leader voué à sa cause comme Nelson Mandela ou Mère Teresa. Est-ce que je me trompe ? Vous aspirez peut-être davantage à la générosité créatrice d'un Robert Lepage ? À l'expression passionnée d'une Maria Callas ? À la joie contagieuse d'un Bobby McFerrin ? Oh ! Vous voulez plutôt devenir un athlète téméraire à la Tarzan. Et vous, la première Dalaï-Lama. Je vois. Quant à vous, vous vous imaginez très bien en fou poétique comme Roberto Benigni ou en grande amoureuse comme Chloé Ste-Marie. Ou alors, vous vous voyez déjà dans la peau d'un Jean Lemire ou d'une héroïne comme Alexandra David-Néel. Et vous donc ? Ah ! Vous désirez jouir de chaque instant, retrouver votre liberté d'expression et créer un monde captivant grâce aux dons uniques qui cherchent à voir le jour en vous.

Ça ne m'étonne pas. Ces rêves symbolisent l'état de grâce qu'on touche par moments dans l'enfance. Autant en découvrant une galaxie dans les yeux de sa mère qu'en batifolant pendant des heures dans les vagues de la mer. Autant en s'inventant un royaume avec quelques bouts de bois et de tissu qu'en explorant ses orteils pour la première fois.

Cet état est bien connu des artistes, des athlètes, des mystiques, des leaders qui sont dédiés corps et âme à leurs amours et à leurs visions. On l'appelle aussi la zone, le flot, le *groove* ou… l'extase. Il est fait d'abandon, d'émerveillement et de communion. L'abandon à l'instant. L'émerveillement de découvrir et de créer le monde pas à pas. La communion avec l'entourage.

On retrouve tous fugacement et avec joie cette zone. En marchant en forêt. En se consacrant à son art. En voyageant. En pratiquant un sport. En faisant l'amour. En écoutant de la musique. En échangeant avec ses proches. En se frottant à l'adversité. En vivant un choc. En méditant sur son souffle. Ou en inventant librement.

Le malheur, c'est qu'on ne connaît pas la source de ces états. Qu'on n'a pas les clés pour les vivre au jour le jour. On se languit donc, consciemment ou non, de ces expériences furtives où on devient un canal pour des courants vibrants, généreux et inspirants. On les cherche partout. Sauf là où on pourrait les trouver.

Pour tromper notre vague à l'âme et nos insatisfactions chroniques, on fuit dans des paradis de seconde main. On court après l'ivresse rose nanan des conquêtes amoureuses éphémères. Gonflés de notre importance, mais le cœur vidé de son allégresse, on collectionne les applaudissements ou l'argent. On s'accroche comme des junkies aux sensations fortes de nos drames conservés dans le vinaigre de nos blâmes. On s'évade dans un ailleurs meilleur qui joue à cache-cache avec nous. On s'étourdit dans des distractions qui goûtent l'absence.

Êtes-vous prêts à entrer dans le secret des dieux ? Eh bien le voici : cet état qui vous comble et vous transporte vient de votre connexion au Cœur Créateur. Mieux encore. Dès maintenant, tel que vous êtes, vous pouvez collaborer avec cet improvisateur aux ressources amoureuses et créatrices inépuisables et vivre l'état de grâce.

Pour vous en faire une meilleure idée, imaginez le Cœur Créateur comme un DJ génial au grand cœur. Pour les besoins de la cause, baptisons-le DJ Allegro. Ce fameux DJ connaît toutes les musiques du monde sur le bout de ses doigts. Il improvise même au fur et à mesure des mix musicaux envoûtants et rassembleurs. Sa plus grande joie ? Voir les danseurs former entre eux des liens amoureux et découvrir des mouvements libérateurs grâce à ses compositions. Plus ils se laissent traverser et transporter par les pulsations de ses musiques, plus les danseurs sont dans le *groove*. La merveille c'est qu'une fois le bal parti, ce DJ s'inspire de leur danse respective et des liens qui se tissent entre eux pour inventer et enrichir ses orchestrations. En retour, ses créations sonores infusent de vie et d'harmonies inédites leurs liens et leurs pas. Portés par elles, les danseurs s'épanouissent de plus en plus à partir des mouvements et des connexions uniques qu'elles font naître. À travers elles, ils se rapprochent les uns des autres pour la plus grande joie de tous. Ça vous éclaire ? À partir de maintenant quand je parle de DJ ou du DJ Allegro, vous saurez donc que je parle du Cœur Créateur et vice et versa.

Alors, me direz-vous, comment peut-on danser sur les rythmes inspirants de ce DJ légendaire dans notre vie de tous les jours ? En faisant deux choix, qui sont aussi deux grandes libertés : aimer et créer — ou vous ouvrir et découvrir — à partir de tout ce que la vie vous présente.

Qu'est-ce que ça veut dire au juste ? Laissez-moi vous rassurer. Vous ne serez pas obligés de devenir copain-copain avec ceux qui vous tombent royalement sur les nerfs ou systématiquement sur la tomate. Ou encore de vivre sous le même toit que ceux qui abusent de vous ou de vos proches. Ça veut plutôt dire que vous vous offrez la liberté de faire du beau, du bon et du nouveau avec tout ce que vous rencontrez. Puis, de l'exprimer d'une manière unique pour la plus grande joie de tous. La vôtre aussi bien entendu.

Vous serez surpris de voir comment ces choix changent tout. En les faisant, vous découvrirez que chaque rencontre, chaque circonstance, est la forme que prend ce grand Cœur ingénieux pour aimer et créer avec vous un monde inespéré pour tous. Si vous abordez tout de cette manière, vous participerez à l'étonnante révolution du Cœur Créateur et danserez sur les musiques prenantes de DJ Allegro.

C'est l'intention de fond qui vous guidera dans cet art interactif. Elle correspond à la première règle de l'improvisation : dire *oui et* à ce que la vie vous présente pour contribuer à la création commune en cours. Cette règle est une incitation à tout recevoir comme un présent et à offrir tout ce que ça fait naître en vous comme un don.

Je sais, ce n'est pas toujours facile, mais, en vous ouvrant de cette manière, vous faites d'une pierre quatre coups pour ne pas dire cinq. Vous émancipez votre propre courant créateur et amoureux. Chacune de vos rencontres et de vos expériences devient une occasion de vivre l'état de grâce. Vous débouchez sur le vaste univers du Cœur Créateur avec ses possibilités insoupçonnées. Et, ce qui n'est pas à dédaigner, vous pouvez goûter à la joie pure de donner et recevoir librement. En prime, vous échappez à votre mental toujours préoccupé, parce que trop occupé à vérifier si vous êtes à la hauteur, de la bonne couleur ou de la bonne cuvée. Ouf !

Grâce à cette intention de fond et à cette règle d'improvisation, vous pouvez inclure ce que vous vivez et rencontrez dans une danse captivante qui se renouvelle à chaque instant.

C'est l'abondance, puisque tout, absolument tout, nourrit les créations amoureuses et les connexions inédites du Cœur Créateur. Que ce soit triste ou joyeux, beau ou laid, petit ou grand, rien n'est trop banal, sale ou bancal pour improviser avec lui une danse amoureuse et libératrice à partir de ce qui se passe maintenant. Ce *oui et* sans réserve est le mot de passe pour rejoindre ses courants riches et fluides.

Pour mener une vie passionnante, vous n'êtes donc pas obligés de vous mettre au piano ou à l'aquarelle, de gravir le Kilimandjaro ou de soulever des foules. Vous pouvez dès maintenant chausser les bottes de sept lieues du Cœur Créateur. Vous aurez alors une vie remplie de compassion créatrice, de découvertes réjouissantes, de liens significatifs et de réalisations gratifiantes. De coups durs et de coups bas aussi, bien sûr. Mais, si vous les abordez créativement et amoureusement, ils enrichiront les accords neufs qui cherchent à s'exprimer dans vos vies. Comme tous les créateurs allumés vous serez dès lors absorbés, inspirés, transportés. Que vous soyez artiste, animateur, parent, entrepreneur, éboueur ou roi du Zimbabwe.

Beau temps mauvais temps, ces deux choix — aimer et créer en duo avec DJ Allegro — vous porteront au-delà de vos barrières habituelles. Ils vous ancreront dans le flot naturel de votre vie. Vous feront vibrer et chanter comme une guitare bien accordée. Ils vous doteront d'une intuition étonnante. D'une persévérance rassurante. Ils vous déposeront dans le nid accueillant de l'instant présent. Vous gratifieront d'une énergie qui se renouvelle comme l'eau d'une source. Vous connecteront chaleureusement au monde qui vous entoure. Vous ouvriront d'une manière créatrice et enjouée à ce qui se passe en vous et autour de vous. Vous feront découvrir des possibilités inspirantes, vivifiantes.

Vous ne serez donc pas à la merci de vos états d'âme ou des circonstances extérieures pour vous donner pleinement à ce qui vous tient à cœur et réaliser vos vœux les plus chers. Enfin !

Une collaboration providentielle !

Avez-vous idée de ce que ça signifie dans votre vie de tous les jours ? Non ? À chaque instant, des possibilités amoureuses et créatrices — ou *créacœur* — cherchent à naître à travers vous pour improviser un monde inespéré pour tous. Et ce n'est pas tout, ces allumeuses d'horizons ont le nez fourré partout. Dans vos malaises, vos conflits et vos échecs comme dans vos joies, vos amours et vos victoires.

« Ça s'peut pas ! », dites-vous. Votre réaction ne m'étonne pas car cet univers est inconcevable pour nos vieilles identités qui ne voient pas plus loin que le bout de leur nez. Une participante à mes ateliers, enthousiasmée par les découvertes qu'elle faisait, m'a déjà dit : « C'est incroyable, c'est un monde complètement différent, juste à côté et à l'inverse de celui dans lequel je vis d'habitude... C'est une vraie révolution ! »

En découvrant ces possibilités *créacœur*, vous serez vous-mêmes surpris des chemins imprévisibles par lesquels elles vous conduiront à ce qui vous tient à cœur.

Ainsi, comme Rachel, une actrice douée en manque de rôles, vous pourriez découvrir, à partir d'une jalousie débilitante, un talent essentiel qui en était captif et en faire profiter votre entourage. Vous pourriez aussi retrouver votre présence réelle au détour d'un rejet douloureux et vous écrier comme Miro : « Je ne savais pas à quel point j'étais pris dans une vie trop étroite pour moi. Je ne me serais jamais douté que quelque chose d'aussi bon pouvait exister ! »

Difficile de s'ennuyer, de ruminer ou de faire un drame une fois qu'on sait ça, n'est-ce pas ? (Ne vous en faites pas, vous pourrez toujours le faire, si vous y tenez…)

Le plus réjouissant, c'est que la voie à suivre pour accéder à ces états de grâce est un art en soi. Aucun temps mort dans cette voie où tout nourrit le flot du Cœur Créateur. Vous créez au départ, à l'arrivée et au cœur du parcours. Il s'agit pour vous de découvrir une nouvelle manière d'être et non de faire. L'important c'est *Qui*, en vous, aborde, vit ou accomplit telle chose, et *Pourquoi*. Dans cet art, tout est question d'attitude, d'intention et de connexion.

Comme vous l'avez vu dans ma présentation du DJ, le Cœur Créateur ne lève pourtant pas le nez sur le monde des formes. Au contraire, il l'alimente et le bonifie. Sous son inspiration, je me suis mise au chant et à l'écriture. J'ai aussi vu plusieurs de mes participants trouver les voies d'expression qui leur allaient comme un gant. Certains se sont mis à chanter ou à écrire. D'autres ont retrouvé des passions réprimées. Plusieurs se sont découvert des talents de leaders. La plupart ont donné un second souffle à leurs interactions, à leurs créations et à leur quotidien.

Même les artistes que je guide régulièrement ont besoin de maîtriser cet art. C'est qu'ils se coupent, eux aussi, des courants captivants du Cœur Créateur. Eh oui ! Être un artiste professionnel ne garantit pas une vie libre et palpitante. Pour une raison ou une autre — échecs, conflits, blocages —, certains ont perdu leur feu sacré, leur inspiration ou leur capacité d'émerveillement. Plusieurs n'arrivent pas à jouir de l'instant ou de ce qui leur arrive de bon. D'autres se sentent isolés ou emprisonnés dans leur image. La plupart souffrent de l'écart entre vie professionnelle et vie personnelle et veulent retrouver la magie dans toutes les sphères de leur vie.

Je l'avoue, j'ai le béguin pour le Cœur Créateur. Plus d'une fois, il m'a sortie du pétrin et de l'ennui. À une période où je stagnais et m'éteignais à petit feu dans mon rôle de thérapeute, j'ai décidé de faire l'impossible pour y être aussi vivante et présente que dans mes envolées en peinture. C'était un appel direct au Cœur Créateur. Il a répondu au-delà de tout ce que j'aurais pu imaginer ou souhaiter. Lui seul pouvait m'inspirer ce mariage inédit d'amour et de création que sont les *Improrelations*.

J'ai aussi publié le livre *Bungee, Vibrato et Tango : Transformez vos impasses et conflits en passion créatrice* et réalisé un CD avec des chansons de mon cru. Je n'avais jamais écrit ni chanté jusque-là. Qui l'aurait cru ? Pas moi en tout cas ! Ça me semblait aussi improbable que de me réveiller un jour avec trois yeux ou deux nez...

Une histoire d'amour et de trésor

Vous voyez, quand on s'ouvre à lui, le Cœur Créateur nous fait découvrir des avenues insoupçonnées.

Un autre exemple ? Un matin d'automne, Joséphine, ex-danseuse de jazz au corps aussi fluide que son mental est intransigeant, arrive chez moi la mine basse. Affaissée sur son fauteuil, elle s'étonne de l'ampleur de sa déprime. Elle désespère depuis qu'elle s'est rendu compte que son amoureux est un piètre partenaire de tango, sans avenir. Elle ne pourra jamais danser avec lui comme elle le désire. Presto ! C'est le temps rêvé pour l'amener à s'ouvrir aux possibilités *créacœur* et aux harmonies nouvelles cachées dans sa déception. J'accueille ce qu'elle éprouve à bras ouverts, puis je m'empresse de lui demander ce qu'elle aurait pu vivre, sentir ou exprimer de bon si elle avait partagé cette activité avec lui. Après avoir rencontré le ressentiment de Joséphine, qui en veut à la vie de lui avoir envoyé un homme si pataud — non mais, quelle injustice ! — on découvre le pot aux roses. Elle m'avoue qu'elle recherche un état semblable à celui qu'elle atteint en faisant de l'escalade. N'étant plus captive de ses pensées, elle s'absorbe dans l'instant et s'ébat dans les courants vibrants de son corps. Elle communie avec ce qui l'entoure et disparaît dans le paysage. Elle jouit en plus de la liberté de découvrir le chemin au fur et à mesure qu'elle avance. Bref, sans le savoir, elle se languit du contact avec le Cœur Créateur en chair et en os. Rien de moins !

Je saute sur l'occasion pour lui présenter DJ Allegro qui la fera danser sur ses musiques palpitantes si elle s'abandonne à lui comme elle aimerait le faire avec son amoureux. Les yeux brillants à la perspective de revivre cet état de grâce dans sa vie de tous les jours, Joséphine retrouve le goût d'aimer et de créer. Elle entreprend alors de traverser les étapes nécessaires — et souvent exigeantes — pour cloner cette expérience et l'incarner partout. Toute une aventure ! Mais pourquoi se confiner au tango quand on peut danser sur les rythmes de DJ Allegro dans ses amours, sa profession, ses conversations et ses créations ?

Comme Joséphine, vous êtes conviés à une histoire d'amour avec le Cœur Créateur. Vous l'ignorez sans doute, mais il vous cherche autant que vous le cherchez. En épousant les intentions et les pratiques que je vous propose, vous basculerez dans l'état de découverte amoureuse. Vous le verrez alors se pointer au rendez-vous. Immanquablement.

Vous formerez ensemble un si beau tandem ! Il a besoin de vos talents, de vos couleurs et de vos saveurs uniques pour se manifester. Vous avez besoin de ses inspirations, de ses énergies et de son amour pour offrir au monde vos dons essentiels, uniques et contagieux. Il est votre second souffle, votre sang neuf. Vous êtes ses artères, les pulsations de son cœur. Il est votre musique. Vous êtes ses pas de danse et ses chorégraphies.

Et ce n'est pas tout. Cette aventure amoureuse se double d'une course au trésor. Pour y participer, vous devez découvrir les possibilités inédites cachées par le Cœur Créateur dans toutes vos interactions. Avec une personne, un milieu, un projet créateur, un sentiment, un talent, un conflit ou une impasse. Dans les chapitres qui suivent, vous apprendrez comment dénicher ces perles.

Gare à votre petit moi crispé !

Bien entendu, comme dans tout conte initiatique qui se respecte, vous rencontrerez en route un adversaire aussi buté que futé : votre mental isoloir. Ce petit moi crispé, très très sérieux et gonflé de son importance est communément appelé l'ego. Vous en avez sûrement entendu parler. Avec ses illusions et ses contractions, il vous isole du Cœur Créateur et vous prive de ses richesses. Les nourritures favorites de ce voleur de grand chemin ? Le ressentiment, le jugement, le contrôle, le cynisme, l'autosuffisance, l'orgueil mal placé, le drame, le besoin d'avoir raison et le dessus sur les autres.

Il préfère faire le pied de grue sur le bord de la piste, avec le signe *Fermé* accroché bien en vue dans la vitrine de son regard, plutôt qu'afficher son désir d'être inclus dans la danse. Il aime mieux chialer contre la musique et le manque de goût du DJ plutôt qu'admettre qu'il se sent gauche et qu'il aurait besoin d'un p'tit coup de pouce. Il choisit de bouder son extase plutôt que participer à l'allégresse de la foule, de peur de perdre son contrôle et son sentiment d'être *plusss* spécial que les autres (en négatif ou en positif).

Oyez ! Oyez ! Ce petit *moi* friand de courbettes, de paillettes et de chaînettes doit s'effacer pour vous laisser baigner dans le champ fertile du Cœur Créateur. Comme le dit si bien Stephen Nachmanovitch, musicien et auteur de *Free Play* : « *Pour que l'art apparaisse, nous devons disparaître… Quand nous "disparaissons" de cette manière, tout autour de nous devient merveilleux, frais et neuf. Nous faisons un avec l'environnement. L'attention et l'intention fusionnent.* »

Une personne avertie en vaut deux. Pour être ainsi saisis par ce qui est merveilleux, frais et neuf, mieux vaut traiter le Cœur Créateur comme un être à part entière. Voilà pourquoi je le présente ici comme *le* Cœur Créateur et non *votre* Cœur Créateur. Bien sûr, il marie constamment le personnel à l'universel puisqu'il est à la fois en nous et autour de nous, une part de nous et une ressource collective. Mais c'est trop alléchant pour l'ego de parler son langage et de se faire passer pour lui, dans le but de garder sa suprématie. Mal nous en prend ! On perd alors contact avec les courants chauds et les ondes vivifiantes du Cœur Créateur pour devenir des coquilles vides. Remplacer *mon* ou *votre* par *le* est donc un rappel, une sorte de mantra : laissons ses forces vives respirer entre nous et nous aurons droit à ses révélations. C'est ce que j'appelle la respiration des relations.

Sachez donc que si vous essayez de le manipuler ou de vous l'approprier, cet habitué des grands espaces vous tirera sa révérence. Que voulez-vous, il prend son essor et ses inspirations dans nos connexions libres et vibrantes avec le milieu ambiant. Pour vous rappeler cette réalité incontournable, vous lirez ces mots à répétition : *pour le plus grand bien* ou *la plus grande joie de tous.*

Sachez aussi que ce grand Cœur libre se dévoile seulement aux confins de nos certitudes. Qu'il s'ébat dans l'ici-maintenant. S'épanouit dans la transparence. Se nourrit de gratuité. N'oubliez pas que, contrairement à notre petit *moi* crispé, il est extrêmement enjoué. Et, surtout, que s'il déjoue nos prévisions et nos échéanciers coulés dans le béton c'est qu'il rêve tellement mieux pour nous.

La libération collective de la *pressence*

Maintenant que vous avez fait connaissance avec le Cœur Créateur, vous pouvez amorcer une collaboration fructueuse avec lui. Elle vous affranchira des liens négatifs que vous entretenez avec vous-mêmes et avec le monde. Par le fait même, vous vous sortirez de l'in-satisfaction, du manque et des impasses. En faisant tomber vos murs, cette alliance changera la qualité de votre présence, de vos interactions et de vos créations. Dans la même foulée, elle influencera le monde qui gravite autour de vous.

Ainsi, un beau jour, Salomé s'engage enfin à suivre le filon de ce qui l'allume. Elle est prête à retrouver, savourer et donner le meilleur d'elle-même. Va-t-elle perdre, comme elle le craint, son amoureux qui ne semble pas mûr pour ce choix ? À la rencontre suivante, elle me décrit, encore sous le choc, la connexion surprenante qu'elle a vécue avec cet homme habituellement distant. Contre toute attente, il s'est décidé à lui emboîter le pas : « Il était si vivant et ouvert, je ne l'avais jamais vu comme ça ! J'avais l'impression de recevoir une transfusion d'amour et de vie, c'était fascinant ! » Pour moi il y a du DJ Allegro là-dessous…

Quelques mois après la publication de *Bungee, Vibrato et Tango*, j'ai aussi eu droit à une surprise. En lisant plusieurs ouvrages, j'ai découvert que le processus des *Improrelations* s'apparente à celui du *leadership* axé sur l'intelligence collective. Celle-ci n'est nulle autre que l'ingéniosité du Cœur Créateur à l'œuvre parmi nous. Que les voies de ce libre penseur sont imprévisibles ! À mon insu, il m'a reliée à un courant actuel en pleine effervescence pour que j'y ajoute mon grain de sel.

Voyez un peu… Dans l'art collectif des *Improrelations*, les règles de l'improvisation sont appliquées à tout ce qu'on vit pour libérer et exprimer les mouvements de notre essence en interaction. C'est-à-dire notre *pressence*. En nous reliant au génie amoureux du Cœur Créateur cette qualité de présence nous fait danser en accord avec ses harmonies contagieuses. Elle touche, inspire et fait alors évoluer nos proches. C'est ce qui fait de nous des leaders naturels. Autant dans nos groupes de création ou de travail que dans nos familles, nos couples ou à travers la planète.

Ce n'est plus un secret : refuser de participer à l'épanouissement et à la danse de notre entourage nous empêche d'être dans le *groove*, transportés au-delà de nos blocages routiniers. C'est aussi ce qui nous empêche de faire des mariages heureux entre les dons qui cherchent à s'exprimer en nous et le monde qui nous entoure. Ce qui, si vous l'avez remarqué, est le propre des vrais leaders.

Êtes-vous enfin prêts à plonger dans cette histoire d'amour jumelée à une course au trésor collective ? À devenir un canal pour les possibilités inespérées du Cœur Créateur ? Oui ? Alors le temps est venu d'entrer dans sa danse. D'apprendre à aimer et à créer en duo avec lui, pour libérer vos dons essentiels et enrichir votre milieu d'une manière originale. Dans les chapitres qui suivent, vous découvrirez les attitudes, les intentions et les pratiques qui feront intervenir cet allié génial sur la scène de vos vies.

Vos cœurs devenus géants rejoindront alors son vaste univers. Vous créerez votre vie pas à pas, en accord avec ses forces vives. Ses inspirations donneront un second souffle à vos rêves les plus chers. Votre quotidien sera embelli et affranchi par son humour astucieux, sa poésie sensuelle, ses rythmes envoûtants, ses liens surprenants et son amour sans bornes.

L'INVITATION

Servez-vous de tout pour aimer et créer avec le Cœur Créateur

LA RÈGLE D'IMPROVISATION

Dites *oui et* à tout ce que la vie vous présente

L'ESSENTIEL

À chaque instant, une possibilité inespérée du Cœur Créateur cherche à naître à travers ce que vous vivez et rencontrez. Elle répond à vos aspirations les plus chères tout en créant un monde épanouissant et captivant pour tous.

Afin de devenir un canal pour ces possibilités, faites le choix d'aimer et de créer, en collaboration avec le Cœur Créateur, à partir de tout ce qui se présente à vous.

Cette intention coureuse de fond vous permettra de dire *oui et* à ce qui vous habite et vous entoure. De recevoir comme un présent tout ce qui survient dans votre vie et d'offrir comme un don ce qui émerge ensuite en vous.

Vous pourrez alors libérer votre *pressence* et créer à répétition du bon, du beau et du nouveau pour la plus grande joie de tous.

Vous accéderez du même coup à l'état de grâce des artistes, des athlètes et des leaders engagés : l'abandon à la réalité présente, l'émerveillement de découvrir et de créer, et le lien *créacœur* avec tout ce qui vous entoure.

L'art des intentions coureuses de fond

Pratiques hors champ

1- Pour des retrouvailles avec vos expériences marquantes

Vous avez tous vécu des moments de grâce où vous étiez en état de découverte amoureuse. Des moments où vous aviez accès à des ressources insoupçonnées. Des moments où vous vous sentiez en accord avec vous-mêmes et avec ce qui vous entoure. Ces expériences marquantes surviennent souvent au détour d'une crise, d'un dépaysement, d'une aventure créatrice ou d'un amour déstabilisant. Pourquoi ? Parce qu'en perdant vos contrôles et vos repères habituels, vous êtes plus ouverts à découvrir et à aimer.

Retrouvez maintenant une circonstance où vous avez été absorbés dans le présent, disponibles à ce qui se passe d'instant en instant, reliés d'une manière vibrante à votre entourage. Où vous étiez à la fois surpris et transportés.

Est-ce après un choc ? Lors d'une marche dans la nature ? Au cœur d'une relation significative ? Dans un moment de solitude ? En créant un poème ? En faisant l'amour ? En pratiquant un sport ? En écoutant Mozart ?

Qu'avez-vous alors vu, ressenti, touché ou entendu ? Écrivez-le.

Répondez ensuite aux questions suivantes.

Qu'est-ce qui a favorisé cet état en vous ? Que vous êtes-vous permis de particulier ? Avez-vous suivi vos élans ou écouté un besoin ? Vous êtes-vous ouverts ou exprimés différemment ? Avez-vous fait confiance à quelqu'un ? Vous êtes-vous abandonnés à quelque chose ?

Vous êtes-vous laissé aller sans retenue ? Qu'avez-vous trouvé de si délicieux et merveilleux à ce moment-là ?

Une fois que vous aurez découvert les ressorts de ce moment de grâce, traduisez-le dans un mini conte. Décrivez ce que vous avez vécu au présent, avec le plus de sensations, d'images et d'émotions possible. Pour vous aider, inspirez-vous de cette formulation : par un beau jour de… tandis que j'étais ou je vivais… j'ai accepté ou me suis permis de… je me suis alors retrouvé dans… j'ai eu accès à… et me suis senti comme… cette expérience m'a amené à… je n'aurais jamais cru que…

Ensuite, racontez-le ou lisez-le lentement à une personne qui vous est chère. Laissez-vous toucher par votre conte en offrant à l'autre l'effet que cette expérience a eu sur vous. Invitez ensuite cette personne à vous raconter à son tour un des moments de grâce de sa vie. Goûtez à la qualité de votre échange.

2- Pour tout recevoir et offrir comme un don : une intention coureuse de fond

Imaginez ce qui changerait dans votre manière d'être et d'interagir si vous étiez convaincus que tout ce que vous vivez et rencontrez est parfait. Que c'est exactement ce dont le Cœur Créateur a besoin pour aimer et créer en duo avec vous.

Imaginez que vous avez la certitude que chacune de vos expériences et de vos rencontres contient une merveilleuse surprise. Que, grâce à elle, vous pourrez réaliser ce qui vous tient à cœur en vous reliant d'une manière inespérée à votre entourage. C'est une véritable révolution, n'est-ce pas ?

Voici l'intention coureuse de fond qui vous fera passer de votre bulle fermée aux grands espaces du Cœur Créateur : abordez tout ce qui se passe présentement en vous et autour de vous comme étant la forme que prend cet improvisateur hors pair pour aimer et créer du bon, du beau, et du nouveau pour tous.

Si vous placez cette intention en tête de peloton, elle vous portera dans son sillon, au-delà de vos dualités. Vous plongera dans la respiration des relations où les courants généreux du Cœur Créateur circulent entre nous. Elle libérera ainsi votre *pressence*. Répondra à vos vœux de manière insoupçonnée. Vous fera pénétrer dans le monde du don et dans l'univers de vos dons. Grâce à elle, vous recevrez tout comme un cadeau, et vous offrirez en retour ce qui émerge de vous comme un présent.

À la pratique maintenant !

Fermez vos yeux et arrêtez-vous à la première chose qui attire votre attention : une pensée, une sensation, un sentiment, une situation, un bien-être, une préoccupation, un jugement, une crispation, un souvenir, une joie…

Dites-vous :

— *Cette expérience est parfaite pour que l'amour et les inspirations du Cœur Créateur me rejoignent, pour la plus grande joie de tous.*

Observez l'effet que cette affirmation produit sur vous : votre façon de percevoir votre respiration, votre réceptivité, vos sensations, vos sentiments.

Est-ce qu'elle crée un contact bienfaisant avec ce qui se passe en vous ? Remet-elle votre énergie en circulation ? Vous ramène-t-elle dans le présent ? Vous rend-elle disponible pour découvrir du nouveau ?

Vous ouvre-t-elle à ce qui se passe autour de vous ? Bref, vous replonge-t-elle dans l'état de découverte amoureuse ?

Si oui, savourez cet état, je vous prie. Si vous n'y arrivez pas, quelle que soit la nature de votre expérience (lourdeur, tension, ennui), dites :

— *Ceci est la forme idéale pour que le Cœur Créateur aime et crée ici et maintenant à travers moi.*

Abandonnez-vous ensuite à ce qui est là pour vous. Puis lâchez prise. La part de vous qui veut réussir cette pratique est sans doute celle qui, là comme ailleurs, cherche trop à performer. Ses efforts trop volontaires empêchent le Cœur Créateur de collaborer avec vous. Le chapitre suivant vous éclairera sur ce point.

Restez attentifs et appliquez cette formule magique à tout ce qui survient. Jusqu'à ce que vous sentiez un changement bénéfique dans votre manière d'être et d'aborder votre vécu. Ça y est ! Votre intention, votre attitude et votre expérience viennent de changer de nature. Votre identité aussi, comme vous le verrez au chapitre 7.

Comme pour des vœux de mariage, refaites souvent ce choix fondamental. Surtout quand vous vous sentez perdus, démunis, effrayés ou bloqués.

Pratiques sur le champ

1- Offrez-vous une alliance

Trouvez-vous une alliance en chair et en os, en métal ou en bois, en ruban ou en tissu. Elle symbolisera votre intention d'aborder ce que vous vivez et rencontrez comme des alliés. Autrement dit, d'aimer et de créer à partir de tout. Tout au long de votre aventure, vous pourrez la tourner dans votre doigt pour appeler à la rescousse le bon génie de votre intention coureuse de fond. Quand vous êtes pris dans des impasses. Quand vous rencontrez un échec. Quand vous désirez découvrir des possibilités *créacœur* dans ce qui vous habite et vous entoure. Elle vous sera aussi utile dans les pratiques qui suivent.

2- Faites une cure de *oui et*

Pour aimanter le Cœur Créateur à partir de tout et de rien et vous mettre en état de découverte amoureuse, faites une cure de *oui et*. D'une heure, d'une journée ou même plus.

En présence de chaque personne qui vous dérange ou vous touche, d'un sentiment qui surgit ou d'une situation que vous rencontrez, dites intérieurement *oui et*. Inspirez profondément sur le *oui*. Expirez d'une manière détendue sur le *et*. Laissez ensuite venir ce qui émerge spontanément de positif après le *et*. Observez ce qui se passe en vous et autour de vous. Répétez à volonté cette cure antirides intérieures.

3- Musclez votre intention coureuse de fond

Faites une marche de 20 minutes. À l'aller, pendant les 10 premières minutes, ouvrez-vous à tout ce qui se présente à vous (sensations, pensées, émotions, rencontres, éléments du paysage). Répétez en douce et en boucle votre intention coureuse de fond :

— *Ceci est parfait pour aimer et créer en accord avec ce qui me tient à cœur pour la plus grande joie de tous.*

Vous pouvez écourter cette phrase et dire simplement :

— *Ceci est parfait pour aimer et créer.*

Vérifiez quelle formulation vous ouvre et vous réjouit le plus.

Sur le chemin du retour, célébrez votre ouverture. Restez attentifs aux objets, aux paroles, aux couleurs, aux bruits, aux odeurs, aux sensations qui attirent votre attention et qui alimentent votre état de grâce.

Une fois de retour chez vous, réunissez dans une courte phrase imagée qui défie la logique, certains des éléments disparates cueillis en chemin. Composez-la de telle sorte qu'elle évoque la sensation de cette expérience vibrante. Un exemple ? Vous avez été réjouis, intrigués, saisis par un cri, le vert du feuillage, une sensation d'ouverture et un enfant qui court, écrivez quelque chose comme « un cri vert ouvert sur l'enfant qui court ». Si vous avez plutôt été marqués par le sourire d'un vieillard, une odeur de roses, un pétillement dans vos veines ou le son d'un klaxon, vous pouvez noter : « Un vieux sourire qui sent les roses pétille comme un klaxon dans mes veines ». Organisez les mots de manière à retrouver, en les lisant, les sensations de l'état de découverte amoureuse. Tracez-les sur un papier, en lettres de couleurs. Ajoutez-y des dessins ou des lignes colorés à votre goût. Mettez bien en vue cette œuvre évocatrice pour vous raccorder spontanément à cet état.

Le Cœur Créateur tente à l'instant même de vous aimer, de vous inspirer et de vous allumer pour la plus grande joie de tous. Êtes-vous d'accord pour danser avec lui ?

Deuxième mouvement

Transformez vos échecs et vos obstacles en possibilités inespérées !

ou comment mordre la poussière en beauté

~

L'invitation, la règle d'improvisation, l'essentiel

~

L'art d'être dans le champ pour
le plus grand bien de tous

« L'aide te vient à la minute où le souffle qui l'appelle lui ouvre la porte. »

Henri Gougaud, *Les Sept Plumes de l'aigle*

« Le risque que la musique nous invite à prendre devient une joyeuse aventure uniquement quand nous allons au-delà de nos capacités habituelles, en affirmant en même temps que nous pouvons échouer. »

Benjamin et Rosamund Zander, *The Art Of Possibility*

« Le changement devient plus facile à la lisière du chaos parce que d'infimes stimulus peuvent alors mettre en mouvement des transformations profondes. »

Robert E. Quinn, *Change The World*

« L'ensemble au complet finit par avoir l'air brillant parce que, comme le tisserand Sufi, ils (les improvisateurs) admettent les erreurs et les incorporent dans l'œuvre globale pour ajouter plus de texture et de profondeur. »

Charna Halpern, Del Close, Kim Howard Johnson,
Truth In Comedy

Des chemins insoupçonnés pour recevoir ce que vous désirez

Avant d'aller plus loin, holà ! À première vue, les chemins empruntés par le Cœur Créateur ne feront pas toujours votre affaire. Ils sont aussi imprévisibles qu'incontournables. Oh, oh, c'était pourtant bien parti...

Attendez ! Si vous ne montez pas aux barricades, vous découvrirez que ce bel incontrôlable est beaucoup plus ingénieux et généreux que nous. Résolument inclusif, il ratisse large, prend racine dans les profondeurs et agit pour le plus grand bien de tous (le vôtre aussi, ne vous inquiétez pas). Il a donc de très bonnes connexions, des ancrages solides et un réseau de ressources illimitées. Alors, détendez-vous, vous êtes entre bonnes mains.

Pour l'avoir vécu, vous savez qu'on est souvent désenchantés et frustrés par les obstacles et les échecs auxquels on se bute. Un amoureux qui nous déserte, un projet qui pique du nez, un adversaire qui nous fait mordre la poussière, un milieu qui nous snobe, un malaise qui s'entête. On se demande si ces écueils et ces déconfitures sont des punitions parce qu'on n'a pas été assez bons, forts ou gentils. Un karma qui nous poursuit dans les sombres ruelles de nos psychés. Un chromosome qui nous manque. Un mauvais sort qui nous a élus entre tous.

Et si je vous disais que le Cœur Créateur orchestre ces collisions et ces défaites pour créer en vous une ouverture qui lui permettra de répondre à vos vœux les plus chers ?

Eh bien, je vous le dis : les barrages que vous frappez au-dehors visent à faire tomber les barrières intérieures qui vous empêchent de recevoir ce que vous souhaitez profondément. Ils frustrent et mettent hors d'état de nuire vos contrôleurs en chef, vos entêtés vindicatifs et vos autosuffisants (je sais, on ne trouve pas de ces trouble-têtes chez vous, mais vous pourrez toujours faire lire ceci à vos proches chez qui il y en a à profusion...). Poursuivons donc. Sous prétexte de vous défendre, ces fiers-à-bras du mental isoloir bloquent votre flot *créacœur* et vous exilent des ressources du Cœur Créateur. Sous leur règne, l'abandon à l'instant, la magie de la découverte, la connexion amoureuse et la joie gratuite sont décrétés dangers publics. C'est simple, ces délices menacent leurs forteresses.

Cette défaite de vos durs à cuir et de vos fins finauds est donc nécessaire. Elle vous permet de devenir un canal pour les largesses et les harmonies d'avant-garde du Cœur Créateur.

En effet, pouvez-vous bien me dire comment laisser entrer son amour, son soutien et ses étonnantes possibilités si on n'a besoin de personne, si tout nous est dû, si on veut toujours avoir raison ou le contrôle, si on sait déjà quelle tournure les événements devraient prendre ou si on se croit plus forts que tout ? Mmm... On est loin de l'état de découverte amoureuse...

Saviez-vous qu'il y a un fossé de taille entre se battre pour obtenir ce qu'on désire et être prêts à le recevoir ? C'est qu'entre ces deux mouvements, un changement d'identité s'impose. Dans le premier, on est dressé sur ses ergots, en circuit fermé et en contrôle. Dans le second, on doit faire preuve d'humilité, d'abandon et d'ouverture. Deux mondes !

Est-ce à dire que vous ne pourrez plus faire à votre tête ? Exactement ! Mais n'ayez crainte, vous pourrez faire à votre génie, à votre cœur, à votre senti et à votre santé ! Étonnamment, vous serez vous-mêmes plus que jamais, puisque les mouvements que vous inspire ce DJ hors pair qu'est le Cœur Créateur prennent racine dans votre nature réelle. Non domestiquée, celle-ci galope alors en liberté, la crinière au vent, loin de vos identités tronquées, de vos peurs en série et de vos vendettas revendicatrices.

Faites confiance à l'échec *créacœur* !

Tout ce beau préambule pour vous préparer à la première étape de votre nouvelle vie : le saut dans le vide *créacœur*, condition sine qua non pour être en état de découverte amoureuse. Ce n'est pas rien ! Auparavant il faut accepter de perdre les manières d'être, de voir et d'interagir qui nous gardent dans nos bulles étanches et qui entravent les accords du Cœur Créateur. C'est la défaite de l'ego séparateur et calculateur. Ou, si vous préférez, l'échec du mental isoloir avec ses luttes de pouvoir, ses cercles vicieux, et ses fermetures à double tour.

Je le répète, au cas où vous auriez fait la sourde oreille : si on veut entrer dans la danse du Cœur Créateur, ce petit Napoléon à l'interne, qui veut s'arranger tout seul en dominant le monde, doit se délester de sa vieille peau et de ses gros sabots.

Comment ? En admettant la faillite de ses efforts de guerre. En acceptant ensuite son impuissance à nous combler et nous enchanter. Tout un renversement ! Il est plutôt porté à tirer sur tout ce qui le contrarie ou le diminue pour sauver la face ou les meubles. À taper du pied — et même sur la tête de son voisin ou la nôtre — quand ça ne fait pas son affaire. À s'obstiner à mort pour prouver qu'il n'est pas dans le champ, alors qu'il a les deux pieds dedans. À bouder quand il n'y arrive pas. Et à faire des drames quand il perd la bataille… ou ses joujoux habituels. Si vous trouvez que ça ressemble à un enfant de deux ans, vous n'avez pas tort. Ajoutez à ce portrait l'intelligence et la force d'un adulte investies depuis des années dans la justification et le peaufinage de ces opérations, vous en aurez une meilleure idée encore.

Vous le devinez : ces comportements passés date ne sont pas toujours faciles à suspendre. Ils sont devenus pour nous une seconde nature. Une sorte de dépendance au contrôle et à la séparation. S'en départir, c'est à la fois une défaite, une perte d'identité et une désintoxication. Oh ! la la…

Voilà pourquoi on résiste comme le diable dans l'eau bénite face à cet échec pourtant si libérateur et fructueux. Notre mental isoloir en profite pour ruer dans les brancards et nous bombarder de peurs. Il nous fait croire qu'on est en train de se faire enlever un organe vital alors que ce n'est qu'une crampe à lâcher. Il s'acharne à prouver que c'est lui qui l'a l'affaire. Qu'il est la vérité incarnée. Qu'à force de l'écouter, on va finir par être heureux. Qu'on a besoin de lui pour survivre ou fonctionner. Que sans lui on est finis, f-i-fi, n-i-nis.

Il doit pourtant disparaître dans le paysage pour que notre *pressence* prenne la relève et nous branche sur les ondes de DJ Allegro. Pas possible avec ce faux frère qui prend les devants sur la piste. Ses plats de résistance sont la fermeture et la crispation. De toute façon, il récupère tout ce qu'on vit pour alimenter sa quête de vedettariat, ses complications sans fond et son besoin de tout gérer à sa façon. Que voulez-vous, c'est ce qui le tient en forme et en vie ! Le hic c'est qu'il nous sépare ainsi du meilleur de nous et nous empêche de danser allègrement avec les autres.

Même lorsqu'on lit des bouquins spirituels ou qu'on suit des cours de croissance personnelle, il s'en sert pour prendre le dessus. Il devient alors *le plus* détaché, *le plus* évolué et *le plus* thérapeutisé de tous ! S'il ne parvient pas à être *le plus* brillant ou *le plus* performant dans ses accomplissements, il sera *le plus* malheureux, *le plus* défectueux ou *le plus* coincé dans ses impasses. Il maintient ainsi sa suprématie sur le flot *créacœur*. Du même coup, il nous prive de la joie de l'instant. Des mouvements spontanés de la vie. Du contact authentique avec ce qu'on est. De l'ouverture aux autres. Des accords de DJ Allegro.

Par conséquent, c'est seulement en suspendant ses vieilles rengaines et dégaines qu'on peut faire le saut dans le vide *créacœur* et devenir un canal pour des harmonies plus riches, plus vibrantes. Cette culbute salutaire, ce petit futé de mental prend un malin plaisir à nous la faire percevoir comme très périlleux et fort peu recommandable. Pourtant, une fois qu'on y consent, tout devient si simple, limpide et bienfaisant. On se demande pourquoi on faisait autant de grabuge et de chichis.

Pour apprivoiser ce vide en douceur, on doit l'aborder comme l'espace vierge ou la page blanche que le Cœur Créateur remplira de ses merveilleuses compositions. Les intentions et les attitudes que je vous propose tisseront entre lui et vous un solide filet de sécurité. Votre confiance en son soutien deviendra ainsi inébranlable. Vous percevrez alors vos échecs comme des portes d'entrée pour ses inspirations amoureuses. Vous serez agréablement surpris... Il répond toujours de manière inattendue à vos aspirations les plus chères.

Vive l'échec libre !

J'ai puisé pour vous, dans *Bungee, Vibrato et Tango*, un parfait exemple de ce saut dans le vide précédé d'un échec salutaire. En le lisant, vous verrez ce qui survient quand on aborde ses bévues et ses contrariétés du point de vue *créacœur*.

J'anime un groupe d'Improrelations. J'entame la journée au galop sur mes grands chevaux. Je raconte à mes participants mes dernières trouvailles et leur exprime mon intention de la journée : oser être encore plus créatrice dans ma relation avec eux. C'était si beau. J'étais prête à m'envoler pour le paradis sans perdre une minute. Je les croyais tous embarqués dans ma navette spatiale. Mal m'en prit : au milieu de l'après-midi, nous nous retrouvons déconfits et assombris sur mon tapis gris, secs comme des raisins Sunrise, séparés en petits îlots figés. Yeurk ! Comment sortir de là ? Malgré mes efforts — ou à cause de mes efforts —, rien n'y fait.

Le soir, bien au chaud sur mon divan, je me demande : qu'est-ce qui pourrait bien remettre en mouvement ma vie et celle du groupe ?

Eh bien ! Eh bien ! Devinez ce qui me vient ? Six petits mots tout simples qui n'ont l'air de rien, mais qui me remettent dans le bain sans panache ni trompette. « Je ne sais pas quoi faire. » Ça s'peut-tu, faire simple comme ça ? Et devinez ce qui est arrivé quand j'ai exprimé ces mots à ma petite troupe de navigateurs en panne ? Des aveux sur leur résistance qui ont remis notre flotte dans le sens du vent. Des élans qui nous ont rapprochés. Des éclats de rire et des découvertes qui n'en finissaient plus de déjouer nos prédictions apocalyptiques.

Avez-vous remarqué la première chose que j'ai faite pour nous faire passer de raisins secs et isolés à juteux et en grappe ? Non ? Que diriez-vous de relire ce passage pour le découvrir ? Je vous attends… Voilà, vous y êtes ! Au lieu de me couper de ce que je vivais avec mes ouailles rébarbatives, j'ai embrassé la réalité présente. Même si elle ne me réjouissait pas. De toute évidence, je l'avais pas pan touttte l'affaire. Ce que je faisais ne fonctionnait pas et ne servait pas mon intention de départ (en fait, je me sentais tout, sauf créatrice). Ça ne contribuait ni à ma vitalité ni à l'évolution de notre groupe.

Pas évident de m'abandonner à la réalité de cet échec sans solution de rechange sous la main. Premier saut en *bungee* ! Mais comment laisser entrer du neuf, si la place est déjà prise par du vieux défectueux ? Une fois départie de mes sempiternels réflexes de sauveuse du monde qui me gardaient en bulle fermée, j'ai pu faire un avec ce qui se passait en moi et autour de moi.

J'étais un élément du problème comme tout le monde et, par conséquent, de sa solution. J'avais, moi aussi, la responsabilité et la liberté de transformer ce qui était amer, éteint ou toxique entre nous en quelque chose de frais, de vibrant et de savoureux. Pas grand'chance de se péter les bretelles de l'ego dans un tel bain de réalité !

Remarquez, je n'ai pas passé beaucoup de temps à me taper sur la tête (un peu quand même) ou à blâmer mes participants (mmm, c'était tentant !). Pas question de m'adonner à ces activités si alléchantes qui auraient renforcé le cercle vicieux dans lequel j'étais prise en me refermant sur moi-même et en me gardant en lutte. Voyez-vous, blâmer — soi-même ou l'autre — nous emprisonne dans le mental isoloir. C'est le summum de la séparation et de l'autosuffisance. C'est aussi futile que de vouloir rivaliser avec l'intelligence du Cœur Créateur. Celle-là même qui fait respirer nos poumons, scintiller la voie lactée et onduler la mer. Comment alors recevoir ses bontés et ses beautés ?

Une fois cette défaite consommée, l'esprit curieux et le cœur bienveillant, j'étais prête à entrer dans l'inconnu pour m'abandonner à la nouvelle possibilité qui cherchait à naître. Vulnérable, j'avançais dans le mystère. L'inspiration allait-elle venir ? Oui, je sais, je vous ai dit que le Cœur Créateur répond toujours, mais quand vient le moment pour moi de lui passer le flambeau, mon mental isoloir se pointe... Ce fin finaud m'assure que *cette fois-ci*, il ne sera pas au rendez-vous. Que je vais me planter royalement. Faire une folle de moi. Que je suis carrément folle. Que je vais me retrouver avec une camisole à manches longues...

Pour m'aiguillonner et m'arracher à ces doutes, je me suis alors posé cette question-ouvreuse-de-canal-et-de-bal : *qu'est-ce qui remettra en mouvement ma vie et celle du groupe ?* Alerte et disponible, comme une amoureuse qui espère son bien-aimé sur un quai, j'ai attendu que le Cœur Créateur me souffle la réponse qui me ferait vibrer. Deuxième saut dans le vide.

La réponse ne s'est pas fait attendre. Un flot de vie s'est alors mis à circuler en moi. C'était le signe dont j'avais besoin pour la valider et suivre sa piste. Il me confirmait que je venais de libérer mon flot *créacœur*. D'extirper ma *pressence* de la dualité du mental isoloir. Je respirais mieux. Je me sentais légère, en paix, entière. Il n'y avait plus de problème. La musique était repartie.

Cette réponse inattendue — *Je ne sais pas quoi faire* — m'obligeait à lâcher toute idée préconçue sur mon rôle. Je ne me serais jamais doutée que, pour accomplir ma tâche et réaliser mon vœu d'être créatrice, j'aurais à prononcer ces paroles si peu recommandables pour un guide.

Voilà bien la preuve que ce n'est pas ce qu'on dit qui est transformateur, mais *Qui* le dit, avec quelle intention et quelle attitude. Et quel était ce *Qui* en moi ? Celle qui ose être authentique, ouverte et vulnérable pour que DJ Allegro transmettre ses nouveaux accords à travers mon lien avec mes participants. Comme j'avais tendance à trop en prendre sur mes épaules — mon péché mignon depuis la tendre enfance —, en acceptant d'être démunie, j'ai rééquilibré l'écologie de notre champ relationnel. J'ai ainsi donné l'occasion au Cœur Créateur de prendre les rênes et à ma petite troupe de prendre les devants dans notre aventure interactive.

Il me restait ensuite à faire mon troisième saut dans le vide : offrir cette inspiration toute fraîche à mes apprentis, dans l'intention de leur offrir ma pleine présence, en espérant que ça contribuerait à leur épanouissement. Aucune tentative de contrôler qui ou quoi que ce soit au programme. Allaient-ils attraper la balle au vol ? Oui ! Quelle surprise ! Au lieu de les décevoir, ces paroles issues de ma nouvelle identité les ont animés, inspirés. Le fait d'embrasser et de leur offrir ma vérité vibrante, en acceptant ma vulnérabilité, y était sûrement pour quelque chose. J'étais maintenant ouverte, abandonnée, prête à recevoir ce qui me tenait à cœur : la participation de ma petite tribu à mes élans créateurs.

Voilà, je venais de faire les trois sauts propices à la découverte amoureuse et à l'état de grâce. Le saut dans la réalité présente pour me déposer dans l'instant. Le saut dans l'inconnu pour découvrir la voie pas à pas. Le saut dans le champ des interactions pour me connecter amoureusement à mon entourage. Je me voyais déjà au Cirque du Soleil en train d'exécuter ces voltiges providentielles devant un public émerveillé m'aspergeant de ôôôhhh ! et de aaahhh !

Ce qu'en retour j'ai reçu de ce triple plongeon ? De la collaboration, de la vérité, de la vie partagée. À travers les élans, les révélations et le soutien de mes coéquipiers, l'univers est venu à ma rencontre. Hospitalier, palpitant, plein de sens. On s'est retrouvés dans le *groove* quoi ! Au lieu de m'échiner toute seule à sauver le bateau, j'ai reçu d'eux exactement ce dont j'avais besoin pour réaliser mon intention de départ et *jammer* avec eux. Autant à travers leurs réactions négatives du début qu'à travers leurs expressions positives après mon *coming out*.

Lorsque vous accepterez de ne pas savoir et de ne pas avoir le contrôle, les murs qui vous isolent du monde ambiant s'effriteront. Vous pourrez faire ce triple plongeon à votre tour. Des liens amoureux et créatifs, porteurs de possibilités inespérées pour tous, pourront alors naître dans votre univers.

Vous vous souvenez de la déprime de Joséphine, au chapitre précédent ? En fait, son amoureux-piètre-danseur invite Joséphine à vivre un échec *créacœur*. Ce que je ne vous ai pas dit, c'est que, pour elle, la danse est depuis toujours un moyen de forcer l'admiration des autres. De se mettre au-dessus d'eux. Or, ce pouvoir de séduction entrave la liberté et l'abandon auxquels elle aspire si ardemment.

Avant d'y accéder, elle devra sans contredit passer par un échec *créacœur*. Mine de rien, en lui mettant des bâtons dans les roues, son bel amoureux réussit un coup de maître spirituel : il met en faillite ce pouvoir négatif qui éloigne Joséphine de l'état de grâce. Ce pouvoir, elle ne peut plus l'exercer. Elle est limitée par la gaucherie de l'homme dont elle doit épouser les moindres mouvements. Plus moyen pour elle de faire cavalier seul et d'utiliser ses talents de manière à se couper du Cœur Créateur. Et, conséquemment, de son vœu le plus cher.

Pour trouver une issue à son impasse, Joséphine devra valser joue contre joue avec la part d'elle-même incarnée par la maladresse de son homme. Cette part qui est gauche, qui l'a pas l'affaire, bref, l'inadéquate. Embrasser cet aspect lui fera mordre la poussière en beauté. Ce qui lui donnera la fluidité et l'humilité nécessaires pour se laisser porter par les rythmes et les bras du Cœur Créateur. Et qui sait ? Son boiteux d'amoureux — à ses yeux bien sûr — se transformera peut-être en prince gracieux ? Mmm...

Voilà ! Avec sa compassion, sa vitalité débridée et ses vastes ressources, le Cœur Créateur vous rejoindra vous aussi au plus creux de vos incertitudes et vos échecs. À condition d'embrasser, de libérer et d'exprimer ce que votre entourage rejette ou bloque en vous. Vous verrez alors à quel point l'ego est ordinaire avec ses comportements répétitifs et son point de vue limité. Et vous aurez accès à l'extraordinaire de ce grand Cœur symphonique. Vive l'échec libre !

L'INVITATION

Embrassez vos échecs pour vous ouvrir
aux possibilités du Cœur Créateur

LA RÈGLE D'IMPROVISATION

Plongez dans le vide *créacœur*
en acceptant de *ne pas l'avoir* et de *ne pas savoir*

L'ESSENTIEL

Chaque obstacle, chaque échec, chaque adversaire extérieur est l'expression d'une barrière intérieure qui bloque les inspirations et les élans du Cœur Créateur.

Celle-ci vous empêche de recevoir ce qui vous tient à cœur et d'en jouir.

L'adversité vise donc à mettre en échec ces barrières internes qui vous gardent malheureux, coincés, en manque. C'est l'échec *créacœur*.

Vous vous retrouvez alors devant le vide et l'inconnu.

Puisque le Cœur Créateur opère sa magie à la frontière de vos certitudes et de vos acquis habituels, abordez ce vide comme une page blanche où tout devient possible.

Une clé ? Recevez vos obstacles et vos échecs comme des présents puis offrez votre ouverture et votre abandon au vide comme des dons.

Vous capterez ainsi les inspirations et les mouvements de ce grand Cœur ingénieux.

L'ART D'ÊTRE DANS LE CHAMP POUR LA PLUS GRANDE JOIE DE TOUS

Pratique hors champ

1- Pour recevoir les obstructions et les oppositions comme des cadeaux

Que l'autre soit dans le champ ou qu'il tombe dans le mille, qu'il soit un parfait idiot ou un génie, l'incarnation de Satan ou de saint Jude, rappelez-vous : c'est la forme qu'adopte le Cœur Créateur pour vous rejoindre et répondre à vos aspirations profondes. La plus belle revanche que vous puissiez prendre, c'est de faire du beau, du bon et du nouveau avec tout ce que ces méchants malades lancent sur votre terrain.

a) Choisissez d'abord un obstacle ou un malaise qui vous désempare, une critique qui vous dérange, une situation qui vous met en échec, un projet artistique qui vous échappe, un milieu ou une personne qui vous résiste.

Embrassez tout ce que vous ressentez face à cette circonstance adverse : peur, peine, colère, déception... Avec une bonne dose de compassion créatrice et dans l'intention de libérer votre flot *créacœur*. Incluez dans cette accolade vos réactions négatives itou, du genre *pour qui y s'prend, lui, y s'est pas vu !?*

Quelle que soit la nature de votre expérience, embrassez-la sans la juger. Dans le but de vous ouvrir et de retrouver le libre mouvement de votre flot. Vous aurez immanquablement un regain de vie et de confiance.

b) Demandez-vous ensuite *Qui*, en vous, est le plus outré ou frustré par ces empêchements, ces coups durs. Est-ce la part de vous qui veut avoir raison ou le dessus ? Celle qui veut sauver la face ou éviter toute possibilité d'échec ? Celle qui essaie de tout faire par elle-même et qui s'accroche à la forme qu'elle croit être la bonne ? Ou celle qui veut contrôler le moment où la vie doit répondre ? Rappelez-vous que ce sont leurs crispations trop volontaires qui vous empêchent de recevoir ce qui vous tient à cœur et d'en jouir.

c) Pour laisser reposer en paix cette part de vous et vous ouvrir à la nouvelle vie qui cherche à naître, voici un petit rituel. Allumez un bâton d'encens et regardez-le brûler. Saupoudrez ensuite la terre d'une de vos plantes avec ses cendres.

Une fois cette mise en terre terminée, laissez venir à votre esprit une image simple de votre obstacle, échec ou impasse. Est-ce un trou, un mur, des barreaux, une chaîne, un boulet, un couteau, une dégringolade ? Est-ce rouge, bleu, noir, vert ? Dessinez cette image candidement. Autour d'elle, tracez un gros ruban rouge avec une boucle pour envelopper ce cadeau des dieux. Mettez ensuite votre dessin sur votre cœur. Et dites cette intention-incantation-formule-magique qui fera accourir les inspirations du Cœur Créateur :

— *Échec, ô bel échec, merci de me révéler le cadeau que tu m'offres, échec, ô bel échec, ouvre-moi au présent que tu m'apportes !*

d) Allumez un étinceleur (un bâton qui fait des étincelles) et regardez-le pétiller en vous posant cette question :

— *Quelle nouvelle vie amoureuse et créatrice cherche à venir au monde à travers ma rencontre avec cette adversité indésirable, mais si généreuse à mon insu ?*

Chérissez cette question. Elle vous maintiendra dans l'espace du vide *créacœur*. Elle vous donnera du même coup l'ouverture nécessaire pour que les richesses du Cœur Créateur trouvent leur chemin jusqu'à vous.

Observez les nouvelles sensations, perceptions, images, manières d'être ou d'interagir que ça éveille face à votre vécu et votre entourage.

À partir de ce qui vous vient, imaginez un nouveau sens aussi surprenant que renversant pour votre échec ou votre embûche. Un sens qui va dans la direction inverse de celui que vous lui avez donné jusqu'ici.

Regardez comment je l'ai fait avec une participante qui se sentait poche à la suite d'un échec. Je lui ai annoncé avec enthousiasme qu'elle venait de passer le test ultime pour entrer dans le club très sélect des poches, les seules personnes au monde qui ont droit à la liberté réelle. Ce qu'elle désirait ardemment par ailleurs.

Observez les effets de ces métaphores-culbutes sur vous.

Laissez entrer leurs bouffées d'air frais…

e) Votre métaphore ou une inspiration a remis en branle votre flot ou transformé votre état intérieur ? Ne vous gênez pas pour instaurer cette nouvelle qualité d'être dans votre vie. D'autant plus que les dons du Cœur Créateur doivent obligatoirement circuler pour rester agissants en nous et se multiplier. Offrez-la à la situation ou à la personne qui vous donne du fil à retordre. Ou si ce n'est pas approprié, à ceux qui, selon vous, en bénéficieraient le plus.

En voici un exemple. Vanessa, une animatrice en créativité, se braque contre ses difficultés à attirer des gens à ses ateliers. C'est injuste, indigne de la grande animatrice qu'elle est ! Elle me demande, incrédule et un brin rébarbative, comment cet échec peut bien répondre à ce qui lui tient à cœur. Je l'invite aussitôt à laisser venir une image de ces difficultés. « C'est comme un couteau qui me rentre dedans ! » me répond-elle. Oh, oh ! On n'y va pas de main morte... Je lui demande ensuite d'orner ce couteau d'une boucle rouge. Puis de mettre cette image sur son cœur et de dire : *Échec, ô bel échec...* Après un moment, étonnée, elle ressent une belle chaleur amoureuse dans son corps et entrevoit ce couteau comme un allié et non plus comme une menace.

À la question : *Quelle nouvelle vie cherche à naître...*, elle réplique : « Ma liberté d'être... Je n'en reviens pas, obtenir cette liberté d'être en présence des autres, c'est justement ce que je désire ! » Lorsque je l'incite à offrir cette chaleur bienfaisante et cette nouvelle qualité d'être à quelqu'un qui pourrait en bénéficier, elle me dit avec enthousiasme : « Ah ! J'ai un dîner demain avec une amie. J'ai le goût de lui offrir ma chaleur et ma complicité au lieu de les réprimer. Ça va me faire lâcher la rivalité que j'ai souvent avec elle... Je sens comment ça pourrait être bon entre nous... Ça me fait du bien de ne plus essayer de la garder à distance pour garder le dessus. » Yé !

Pratiques sur le champ

1- Perdez glorieusement la bataille en pratiquant l'art des culbutes salutaires

De quelle manière ? En immolant vos fausses identités sur l'autel de l'humour irrévérencieux des culbutes cosmiques. En laissant mourir à p'tit feu vos vieux comportements mécaniques pleins de tics. En sacrifiant aux dieux de la création et de l'amour une part de vos autosuffisants blindés qui nous isolent les uns des autres. De vos entêtés butés qui tournent en rond dans leurs illusions. De vos *tu-m'auras-pas* qui nous mettent tous en attente. De vos *m'as-tu-vu* qui nous bloquent la vue. De vos timorés qui n'osent pas se mouiller le moindre petit orteil. De vos blasés qui refusent de jouer avec nous.

Choisissez une interaction épineuse où vous croyez avoir raison ou une situation qui ne fait pas votre affaire. Observez comment vous réagissez. Vous braquez-vous ? Vous défendez-vous ? Vous obstinez-vous intérieurement ou extérieurement ?

N'oubliez pas qu'en vous emprisonnant dans votre mental isoloir, ces réactions vous empêchent d'être en état de découverte amoureuse. Et que de cet état jaillissent vos réponses les plus vivantes, authentiques et inspirées.

Imaginez que par l'entremise de cet ignare qui vous tient tête, ce faux frère qui vous trahit, cette circonstance qui vous horripile, le Cœur Créateur essaie de vous rejoindre pour vous faire faire une découverte inespérée ! (Non, mais il exagère pas à peu près !) Profitez-en pour échapper en douce à l'emprise du mental isoloir qui nous garde sous son joug en nous dressant les uns contre les autres. Vous êtes le plus fin, après tout !

Plutôt que de vous entêter ou de bouder, acceptez gracieusement l'échec de votre bataille de coqs pour découvrir cette possibilité inédite. Demandez-vous :

— *Si je cesse d'argumenter ou de me braquer, qu'est-ce qui pourra émerger de beau, de bon et de nouveau ?*

Restez ouverts et disponibles aux impulsions et aux réponses qui vous viennent, maintenant que vous n'êtes plus en réaction contre l'autre. Même si vous n'êtes toujours pas d'accord avec lui ou avec la vie, qu'avez-vous découvert de nouveau ? Qu'avez-vous ressenti de neuf ?

Voici un autre genre de culbute salutaire. Pratiquez l'art des inversions *créacœur* en renversant vos comportements habituels. Si vous prenez toujours le crachoir ou la vedette, effacez-vous, écoutez et donnez de l'importance aux autres pendant 5 minutes, puis 10, puis 15. Si vous êtes portés à sauver la face en cachant ce que vous jugez non présentable, perdez-la en révélant une petite chose que vous dissimulez habituellement, puis deux, puis trois. Si vous retenez constamment vos élans, sous prétexte que ce n'est jamais le bon moment, exprimez-en un maintenant, puis trois, puis cinq. Si vous refusez habituellement de jouer ou de participer, sautez à l'eau et batifolez. *Capice ?*

2- Faites une cure de choix *créacœur*

Vous le savez maintenant (et si vous ne le savez pas, je m'inquiète pour vous) : les problèmes et les conflits que vous rencontrez sont en réalité des portes d'entrée pour le Cœur Créateur. Ces difficultés lui permettent de manifester d'une manière unique, à travers vous, ses élans et ses inspirations.

Durant une heure, une journée, une vie, face à un obstacle, un malaise ou un échec, faites le choix *créacœur* de l'aborder comme un allié, une clé pour réaliser votre souhait :

— *En présence de cette circonstance, je me permets de recevoir quelque chose de beau, de bon et de nouveau qui me rapproche de ce qui me tient à cœur.*

Ou :

— Ceci est parfait pour répondre d'une manière inespérée à mon vœu le plus cher.

Ne sous-estimez pas ce choix si fertile. Il va vous libérer des liens négatifs que vous avez avec vous-mêmes et avec les autres, et vous fera culbuter dans l'état de découverte amoureuse. Vous sortir de l'univers de vos préoccupations et de vos problèmes et vous propulser dans l'aventure de la création. Le foyer de votre attention s'ouvrira. Votre vitalité redoublera d'ardeur. Votre réceptivité aux signaux de la vie sera amplifiée. Vous ferez d'heureuses découvertes. En prime, vous échapperez à un monde en apparence hostile pour accéder à un univers convivial.

Observez les inspirations, les transformations et les interactions auxquelles ce choix donne lieu. Suivez les élans et les intuitions qui vous viennent ensuite.

Refaites encore et encore ce choix crucial pour sortir de vos impasses et improviser un monde captivant à partir de tout.

Maintenant que vous connaissez l'art d'être dans le champ pour la plus grande joie de tous, vous pouvez mordre la poussière en beauté. Et même, tomber à genoux comme le pape, pour embrasser et bénir le sol de vos déconfitures.

TROISIÈME MOUVEMENT

Embrassez la vérité du cœur pour vibrer en chœur

ou comment faire chanter la mélodie du bonheur à vos cordes sensibles

~

L'invitation, la règle d'improvisation, l'essentiel

~

L'art de la vérité vibrante, désarmante, contagieuse

« *La vérité que nous recherchons est celle qui nous laissera libres d'explorer créativement…* »

Harold Guskin, *How To Stop Acting*

« *La sincérité motive notre cœur et aligne nos vraies intentions. La sincérité est le générateur qui amène les sentiments essentiels du cœur en cohérence et qui leur donne du pouvoir.* »

Doc Childre et Howard Martin, *Hearthmath Solution*

« *Le "corps en-vie", c'est le corps qui est capable de dégager une qualité d'énergie qui éveille la vie chez le spectateur.* »

Eugenio Barba, extrait de *Mise en scène et Jeu de l'acteur*

« *… comme s'il savait que la vérité crue mène forcément à une pierre angulaire sur laquelle la vie peut rebondir.* »

Jean Bédard, *Le pouvoir ou la vie*

Un mariage de cœur avec la vérité

Avez-vous remarqué à quel point une personne authentique, ouverte et absorbée dans l'instant est captivante ? Qu'elle soit en train de pleurer à chaudes larmes, vous dire vos quatre vérités, cuisiner un pâté chinois, pratiquer la danse du ventre, lire une comptine ou jouer du Shakespeare, c'est du pareil au même. Comme en amour, elle rayonne et tout ce qu'elle exprime est vivant, inspirant. Chacun de ses mouvements semble animé de l'intérieur, libre de s'élancer vers le monde, accordé sur une fréquence harmonieuse.

L'auriez-vous deviné ? La présence de cette personne est magnétique parce que ses cordes sensibles vibrent en accord avec la vérité du cœur. Cette beauté lumineuse et incorruptible lui redonne sa liberté d'être, d'aimer, de créer. Comment ? En l'ancrant dans l'instant présent, dans les courants fluides du corps vibrato et dans la plénitude du cœur. Dans ces conditions, sa *pressence* se libère et ses vibrations contagieuses se propagent dans l'atmosphère sur les rythmes de DJ Allegro.

J'espère que votre cœur va fondre devant cette vérité originale. Difficile de lui résister une fois qu'on y a goûté. Cette belle dame a le cœur sur la main, le corps en fête, l'esprit fluide et limpide. Elle est le point de départ de tous les possibles. La bougie d'allumage de nos vies. Notre lieu de raccord avec les harmonies du Cœur Créateur. Elle demande du courage et de l'humilité. Elle exige fidélité aussi. Mais, sans elle, il ne se passe rien de vivifiant, d'amoureux ou d'inspirant. On n'existe pas réellement, aucune connexion véritable ne peut se tisser. Impossible alors de devenir un canal pour le Cœur Créateur et d'avoir de réels élans du cœur. Pas surprenant qu'on se sente vides, éteints, déconnectés ou faux.

Voici un exemple étonnant où une telle vérité — pas nécessairement douce — a transformé les personnes, les interactions et l'atmosphère d'un groupe d'*Improrelations*. Dans les propos suivants, autant ceux de Marianne que de Renaud, il n'y a aucune hostilité. Seulement un flot libre de vie et de vérité, exprimé dans l'intention d'être fidèle à ce qui émerge de soi tout en restant ouvert à l'autre. Ce qui en fait une vérité du cœur, c'est l'intention et l'attitude de chacun. C'est aussi l'effet qu'elle produit, et non les paroles exprimées. Remarquez comment cet échange authentique a rapproché mes participants en leur redonnant vie. C'est le propre de la vérité du cœur.

Marianne, une dame d'un certain âge, douce et pure comme le savon *Dove*, a tendance à nous lancer des fleurs. On dirait la madone des roses. Au début d'une sixième rencontre de groupe, elle nous annonce qu'elle songe à nous quitter : son horaire est serré, elle va maintenant très, très bien, et merci et re-merci et je vous apprécie tellement et vous êtes tous si merveilleux… Je l'invite alors à aller faire un tour dans son corps pour voir s'il vibre en accord avec ses paroles onctueuses. Pas moyen ! Elle nous inonde encore plus de bons et beaux mots !

Renaud, qui rivalise de gentillesse avec elle, lui dit soudain d'un ton plaintif et éteint, qu'il est triste de la voir partir. Qu'elle va lui manquer… Il est aussi allumé que la cendre d'un bâton d'encens.

Je lui fais remarquer qu'il n'y a pas beaucoup de jus dans ce qu'il exprime. Qu'il n'a pas l'air de libérer quoi que ce soit de bon ou de nouveau en lui. Est-ce vraiment ce qu'il vit ? À la surprise générale, il sort tout à coup de sa grisaille ouatée. Et lance à Marianne :

— Va-t-en donc si tu veux !

Et Marianne de rétorquer du tac au tac :

— Non, je ne m'en irai pas !

Éberlués, on éclate tous de rire devant ces répliques inattendues. Elles détonnent avec l'habituelle affabilité fanée de Renaud et la généreuse distribution de bonbons mielleux de Marianne. L'atmosphère change du tout au tout. En deux secondes, on passe du rosaire en famille à une joute de hockey. Avec joueurs engagés et spectateurs enthousiastes. La vie et les révélations fusent de partout. Ces ondes de vérité viennent de nous libérer et de nous harmoniser comme celles des bols tibétains. Ce faisant, elles nous ont reliés aux ondes du Cœur Créateur. Le regard brillant et le verbe bondissant, Renaud passe du gris au rouge feu. Marianne, assise sur le bout de sa chaise, s'anime comme un Pinocchio qui reprend vie. Elle nous avoue en riant qu'elle n'est plus certaine du tout de vouloir s'en aller.

Cette altercation plus vraie que vraie a fait d'une pierre deux coups. Renaud s'est rapproché de lui-même et de nous en lâchant le bon p'tit gars qu'il se plaît souvent à dégainer pour ne pas assumer ce qu'il vit réellement. Et Marianne s'est insurgée contre sa tendance à répondre aux attentes des autres. Cette habitude transforme tout en obligations contre lesquelles elle réagit ensuite en retirant sa vraie présence.

Comme Renaud et Marianne, si vous préférez la vérité du cœur à vos images et à vos illusions, elle vous le rendra au centuple. Pour qu'elle apparaisse, épousez votre expérience vibrante du moment en restant ouverts à votre entourage. Elle fera alors tomber vos murs. Vous réconciliera avec votre vraie nature. Vous redonnera vie. Vous connectera à votre source amoureuse. Et vous reliera à votre entourage à travers des accords justes et inédits.

Pour mieux l'apprivoiser, faisons plus ample connaissance avec cette beauté incorruptible qui nous plonge dans l'état de découverte amoureuse. Si vous relisez attentivement l'échange entre Renaud et Marianne, vous découvrirez ses généreux attributs : elle est simple, vibrante, surprenante, désarmante, libératrice et contagieuse.

Simple, parce qu'elle s'exprime en quelques mots, images ou gestes aussi limpides qu'accessibles. *Vibrante*, parce qu'en nous ancrant dans l'instant et dans le corps vibrato, cette vérité nous fait vibrer. *Surprenante*, parce qu'on la découvre au fur et à mesure qu'elle émerge. *Désarmante* parce qu'en faisant tomber nos murs, elle nous rend accessibles et désarme notre entourage. *Libératrice*, parce qu'elle libère notre flot *créacœur*. *Contagieuse*, parce qu'elle nous fait rayonner à partir de notre *pressence* qui se transmet à nos proches.

De son côté, le mental isoloir tient des discours aussi compliqués que stériles et fastidieux. C'est qu'il est très très occupé, lui, à vendre sa salade, à cacher ses intentions et à justifier ce qui le garde en lutte. Quel contraste !

La découverte et l'expression de la vérité du cœur est un art en soi. Il exige authenticité, ouverture et abandon d'instant en instant. Ce trio jazzé correspond aux trois sauts qui conduisent à l'état de grâce. Voyez un peu. Sans authenticité, impossible d'être dans le moment présent, connecté au flot de votre corps vibrato. Sans ouverture, pas de compassion ni résonance, donc pas d'expansion, pas d'union et pas de rayonnement. Sans abandon d'instant en instant, aucun souffle frais ne peut circuler, aucune vie nouvelle ne peut apparaître. Ô malheur !

Accordez vos cordes sensibles sur la vérité du cœur

La bonne nouvelle, c'est qu'à chaque instant, DJ Allegro vous offre la possibilité d'harmoniser vos cordes sensibles et vos pas sur les fréquences de la vérité du cœur. Et ce, à partir de tout ce que vous rencontrez. Quoi que vous viviez, ses ondes vivifiantes peuvent alors irradier à travers vous et changer la qualité de votre présence.

Mais attention, il faut en connaître la musique ! Ces ondes requièrent des conditions particulières pour opérer leur magie. Imaginez qu'un musicien écrase d'une main toutes les cordes de son violon. Impossible d'en tirer une musique qui touche l'auditoire, n'est-ce pas ? Même chose pour vos cordes sensibles. Étouffées et paralysées par vos contrôles, vos dénis et vos fermetures, elles n'ont pas le loisir de faire écho à ce qui se passe maintenant. Ni de résonner à l'intérieur de vous. Ni de faire résonner votre entourage. Tout artiste en a déjà fait l'expérience à ses dépens.

Comment voulez-vous vibrer et rayonner si vous êtes occupés à dominer, travestir ou snober la réalité en cours et son véritable effet sur vous ? Vous êtes alors exilés de la vivacité de l'instant, déracinés de votre expérience, cloîtrés dans vos illusions. Vous voilà coupés des connexions vibrantes qui émergent du contact limpide avec ce qui se vit en vous et autour de vous. Comme elles sont le véhicule rêvé pour les ondes du Cœur Créateur, adieu veaux, vaches, cochons !

Par quelle voie retrouver cette liberté de rayonner ? Par la voie et la voix du cœur. Votre lien empathique avec ce qui est réellement touché ou soulevé à l'intérieur de vous, face à la réalité présente. Vous avez donc tout intérêt à ouvrir votre cœur, sans calculs, sans jugements, sans blâmes, à ce que font naître en vous les situations et les interactions que vous vivez.

Pour y parvenir, pas besoin de raffoler de ce qui se passe dans vos vies. Il suffit de ne pas partir en guerre contre l'évidence du moment. De laisser votre expérience exister à l'état pur, même si vous n'aimez pas forcément sa frimousse ou son discours. Ici comme ailleurs, tout est une question d'intention et d'attitude. Peu importe que votre vérité soit honteuse ou glorieuse, l'essentiel, c'est de vous y ouvrir et de l'exprimer avec cœur. Bref, de l'embrasser dans l'intention d'aimer et de créer.

Cet art de la transparence n'est pas toujours facile à pratiquer. Il provoque en nous une mini révolution, rien de moins ! Il fait crouler les tours de contrôle, les complications, les justifications et les châteaux en Espagne de notre mental isoloir. À tout coup, il engendre un changement d'identité plus ou moins grand.

Trois choses peuvent faire avorter cet heureux chavirement. Ne pas vous avouer la vérité sur ce que vous vivez présentement. Manquer de compassion. Avoir une intention anti-flot cachée dans l'ombre (vouloir avoir raison, blâmer, culpabiliser, rivaliser, juger).

Voici une clé pour vous faciliter la tâche : voyez la réalité présente comme l'archet avec lequel le Cœur Créateur joue sur vos cordes sensibles pour en extraire la vérité du cœur. Cette vérité propagera ses accords dans votre corps et votre monde.

Vous recevrez ainsi (inspirerez) la réalité de l'instant comme un présent. Vous offrirez (expirerez) comme un don ce qu'elle éveille réellement en vous, votre vérité vibrante.

Grâce à cette respiration qui vous ouvre à tout, vos cordes sensibles chanteront en chœur et avec bonheur. Elles vibreront en synchronie avec le Cœur Créateur. Vos interactions et vos créations seront des ponts pour son prodigieux flot d'amour, d'inspirations et de vie.

L'auriez-vous cru, vous voilà devenus un Stradivarius entre les mains de ce grand artiste qui rayonne dans le monde entier !

Des échanges riches et contagieux

La merveille, c'est que l'expression généreuse de ces ondes de vérité est contagieuse. En vous faisant vibrer, celles-ci font vibrer votre entourage.

Ainsi, pour nous transporter, un véritable acteur doit résonner généreusement à la réalité de son personnage et nous transmettre authentiquement ce qu'il éveille en lui. Un chanteur nous fait fondre s'il est ému, allumé par sa chanson et s'il nous offre sincèrement, en direct, ce qu'elle soulève chez lui. Un conférencier nous passionne s'il est transporté par son sujet, inspiré par son auditoire et s'il s'exprime en retour sans fard.

À votre tour, partagez sans paravent ce qui est touché en vous en présence de votre entourage. Faites-le dans l'intention de vous relier créativement et amoureusement à tout. Vous aurez alors la joie de voir émerger — comme des lapins sortant d'un chapeau de magicien — du bon, du beau et du nouveau de tout ce que vous croisez sur votre chemin.

La preuve ? L'étonnement de Mia, une jeune femme aux prises avec un ex-conjoint, transformé en coktail molotov, qui lui en voulait d'avoir rompu leur relation. Voici le parcours qu'on a suivi ensemble. D'abord embrasser ce qu'elle ressent : sa peur et sa colère devant les attaques verbales et les coups bas de cet homme. Ensuite, découvrir sa vérité du cœur pour l'offrir à son ex-amoureux : sa propre peine d'amour qu'elle niait. Ô surprise ! Lorsqu'elle s'ouvre pour lui faire part de sa tristesse quant à leur rupture, elle le rejoint dans sa peine et il rend les armes. Heureusement ! Ce désarmement mutuel leur a évité une guerre aussi onéreuse que stérile.

Il n'y a aucune garantie, bien sûr, que l'autre répondra comme vous le souhaitez. Mais, si vous vous ouvrez comme Mia, trois choses sont certaines. Vous retrouverez votre liberté, votre vitalité, votre amour. Vous danserez autrement avec votre entourage. Ce qui changera radicalement votre monde intérieur et extérieur.

Le Cœur Créateur intègre tout dans ses créations amoureuses, n'est-ce pas ? Pour que vos échanges soient aussi riches que contagieux, ne vous gênez donc pas pour inclure votre vie entière dans la coupe alchimique de la vérité du cœur. Ce qui vous enchante, vous attire, vous comble et vous apaise. Autant que ce qui vous blesse, vous hérisse, vous jette à terre, vous désespère et vous fait honte.

Faites particulièrement attention à la honte tapie au fond de vous. Vous devez aussi l'inclure car son rejet fait souvent obstacle à la présence et aux échanges authentiques. Cette honte, infligée au départ par notre entourage, est constamment entretenue par l'image de perfection et de toute-puissance qu'on a adoptée en réaction contre elle. Après quoi, on juge et méprise tout ce qui ne répond pas aux exigences inatteignables de cette image illusoire. On y tient comme à la prunelle de nos yeux. Quel beau cercle vicieux !

Inutile de maquiller cette honte. Pour vous en libérer, il faut vous l'avouer ouvertement et l'embrasser avec compassion. L'ensemble de vos états intérieurs peut alors bénéficier de cette bise rédemptrice. Si vous épousez ce qui surgit en vous, tout ce que vous vivez nourrira votre flot *créacœur* : fatigues, haines, jalousies, peines, résistances, peurs, colères. Ainsi que joies, amours, élans, besoins, inspirations, désirs.

Il vous reste ensuite à interagir avec votre entourage en lui offrant votre vérité, dans l'intention d'aimer et de créer. Dès lors, vous serez à la fois branchés et réceptifs. Fluides et solides. Prêts à danser avec les autres et fidèles à vous-mêmes. Amoureux et libres. Votre instrument, accordé sur les pulsations de la vie et de l'amour, créera autour de vous un champ d'ondes cohérentes et dynamiques.

La vérité du cœur ouvert : du miel et du soleil pour le corps vibrato

Vous aurez alors la surprise de voir votre monde se transformer sous vos yeux. À dire vrai, se connecter ainsi donne lieu à d'étonnants petits miracles qui nous ravissent. Ce qui semblait laid, faible, stagnant, inacceptable ou menaçant devient délicieusement vibrant et beau. Ayant enfin un lieu accueillant où se déposer, nos états apparemment négatifs respirent, se déploient, s'épanouissent. Nos grenouilles ou nos crapauds deviennent enfin des princes ou des princesses charmant(e)s.

Vous saurez que vous êtes en accord avec la vérité du cœur quand vous éprouverez l'une ou l'autre des sensations qui suivent. Qu'elles soient douces, subtiles, fortes ou frappantes, elles indiquent que vous êtes portés par votre flot *créacœur*. Les voici ! Ça s'ouvre, ça respire, ça fond dans votre poitrine. Ça circule, ça pétille dans tout votre corps.

Ça s'allume, ça se réchauffe dans votre cœur. Ça se libère, ça s'apaise, ça se dépose dans votre ventre. Ou toute autre variante du genre. Chacune de ces manifestations vous donne accès au bon goût de la vie en mouvement et en expansion dans votre corps vibrato.

En revanche, ne pas vous connecter ainsi donne lieu à un arsenal d'effets négatifs très peu réjouissants. Déguiser, nier ou étouffer la vérité du cœur vous met en quarantaine dans le donjon du mental isoloir et paralyse votre flot *créacœur*. Une enfilade de répercussions s'ensuit. Manque de vitalité, d'inspiration, de contact, de présence, de liberté et d'élan. Impossibilité d'évoluer. Sentiment d'être vide. Impression d'imposture. Une gamme de symptômes se pointe alors dans votre corps : nœuds, oppressions, lourdeurs, étouffements, serrements, coupures. Ouch ! Heureusement, si vous leur portez attention, le cœur et l'esprit ouverts, ces sensations inconfortables vous révéleront la vérité qu'elles cachent. Pas moyen de passer à côté, n'est-ce pas ?

Voici comment Pat, un artiste, dépeint les réactions de son mental isoloir, ce geôlier intérieur, devant l'abandon au flot du corps vibrato : « C'est ma tête qui me fait des peurs et qui veut me faire croire que si je vis ici — il pointe son ventre et sa poitrine — je vais me faire avoir et être obligé de faire ce que je ne veux pas faire. »

Après s'être abandonné à son flot, il s'exclame en mettant la main sur son plexus et son ventre : « Ahhh ! Ça vibre ici…. C'est incroyable… On dirait quelque chose de fort qui veut, qui désire… Oh… C'est de l'appétit !… C'est comme du miel et du soleil. »

Du miel et du soleil, quoi de mieux pour décrire les deux aspects du cœur ouvert ! Son côté fluide, fondant et délicieux. Son côté lumineux, ardent et libérateur.

Comme pour moi dans l'exemple qui suit, les sensations de votre corps vibrato peuvent vous faire savoir si vous êtes sur la bonne voie. Un jour, malgré les doutes qui m'assaillent, je réussis à mettre un holà au comportement stérile d'une de mes participantes. Je lui exprime ma vérité simple et nue tout en restant ouverte. Aussitôt, mon corps vibrato vient m'épauler en me faisant don d'une sensation. Une bienfaisante colonne d'énergie vibrante et solide se dresse dans ma poitrine. Elle transforme le mur de stagnation qui m'habitait en chatoyant rideau de vie. Grâce à cette sensation, plus l'ombre d'un doute. J'avance dans la bonne direction.

Pour être ainsi animés, guidés, transformés de l'intérieur, vous devrez à votre tour embrasser et partager vos vérités désarmantes et contagieuses. Vous serez sans doute surpris par les effets qu'elles produiront sur vous et sur votre entourage. Ils seront souvent à l'opposé de vos attentes et de vos peurs.

Voici quelques critères pour vous aider à faire le tri dans les vérités que vous exprimerez ou non : *est-ce que ça me rend plus vivant, amoureux, libre, présent ? Est-ce que ça me surprend, me fait évoluer, me chavire, me connecte à moi et aux autres ?*

Vous aurez aussi l'impression de faire un saut plus ou moins grand dans le vide. Rien à voir avec les affirmations inertes, ressassées, lancées du haut du mental isoloir. Celles-ci nous éloignent de la vie en mouvement, de la découverte en direct, du contact désarmant avec notre entourage. Et donc de l'état de grâce.

Vous verrez comment ces vérités apportent un morceau manquant à la cohérence de votre vie et à la mosaïque que vous formez avec votre milieu.

Des mises à nu qui font accourir le Cœur Créateur

Dès l'instant où vous entrez en contact avec la vérité du cœur, quelle que soit sa teneur, le Cœur Créateur accourt. Promis, juré, craché ! C'est tout naturel pour lui. Il n'est ni guindé, ni chiche, ni snob, ni assis sur ses lauriers. Il est même prêt à tout recycler pour faire évoluer son art et éclore son amour. L'entièreté de votre expérience enfante donc sa palette de couleurs, sa portée de musique, sa réserve de mots, sa gestuelle. Par le fait même, ce que vous rejetez, cachez, ré-primez, niez, fuyez ou trafiquez entrave son influence et appauvrit son art. Vous voilà prisonniers du monde de la désunion et de la privation.

Au chapitre 2, face à l'impasse que j'ai vécue avec mes participants, j'ai commencé par m'avouer la réalité présente : ce que je faisais ne marchait pas. J'étais dans le champ quoi ! C'est là que j'ai pu recevoir, du Cœur Créateur, l'inspiration nécessaire pour poursuivre l'anima-tion de mon groupe. Afin de découvrir ce que cette réalité soulevait en moi, je me suis posé la question suivante : *qu'est-ce que j'ai besoin d'accepter et d'aimer en moi maintenant pour libérer mon flot de vie ?* J'aurais aussi bien pu me dire : *qu'est-ce qui est le plus dur, le plus bles-sant ou dérangeant pour moi dans cette situation ?* Ou encore : *quelle vérité dois-je embrasser pour être vibrante et ouverte ?*

Puis, comme me l'a appris la technique du *focusing*, j'ai attendu que surgisse une sensation, un mot ou une image. À ce moment-là, une peur, et la sensation d'un nœud lui faisant écho dans ma poitrine, ont attiré mon attention. Cette peur s'est peu à peu précisée... Devant le mur de résistance de mes participants, je craignais de ne pas trouver d'issue et de demeurer seule, sans réponses, avec ma belle intention créatrice.

En accueillant cette expérience dans l'intention d'être présente, j'ai accordé mes cordes sensibles sur la vérité du cœur et suis devenue l'instrument du Cœur Créateur. J'ai alors reçu cette inspiration déconcertante : déclarer à mes participants que j'ignorais la voie à suivre. Quoi de mieux pour ouvrir sa porte aux autres ? Puisque tout ce qui est accueilli et offert nous relie amoureusement à tout et à tous, un présent m'a été accordé. J'ai ressenti une confiance réconfortante. Dans la vie et dans mes participants. Avez-vous déjà oublié comment ils ont répondu à ma transparence ? Oui ? Alors devinez ou relisez !

Lorsque vous exprimerez sans jugements ce que vous vivez, dans l'intention d'aimer et de créer, vous aurez droit vous aussi à la beauté, à l'émerveillement et aux joies du contact avec le Cœur Créateur.

Je suis d'ailleurs souvent touchée aux larmes par la beauté de ceux qui révèlent une vérité sombre ou honteuse pour se libérer et s'ouvrir à l'amour. Certains de ces moments sont tatoués dans ma mémoire.

Prenez Jules, par exemple. Lors d'une séance de couple, ce bouder invétéré qui rechigne et empoisonne l'atmosphère à la moindre occasion, avoue à sa femme : « C'est cruel ce que je te fais ». Dès l'instant où il sort cette évidence de l'ombre, en se mettant dans sa peau, il devient radieux. Sa *pressence* illumine son visage, comme si un soleil s'était levé en lui. En dénonçant le pire de lui à partir du plus amoureux de lui, il s'est extirpé de son enfer portatif. Ses portes sont maintenant grandes ouvertes. Le voilà devenu un canal pour la bonté et la beauté du Cœur Créateur.

Ce bon goût de la vérité s'est aussi propagé un jour dans un groupe d'*Improrelations*. Je savoure encore ce moment relaté dans *Bungee, Vibrato et Tango*.

... Saul accepte enfin de s'ouvrir à ce qu'il vit avec nous. Les yeux baissés, la voix feutrée, comme s'il se recueillait dans une église, il laisse échapper de ses lèvres deux mots simples. Branchés dans son corps vibrato, ceux-ci sont chargés à bloc de sa présence.

— J'ai peur.

Tout le monde respire... Moment de communion vibrante. Le Cœur Créateur est parmi nous. Fidèle à ce que vit Saul en ce moment, exprimée dans l'intention de le rapprocher de lui-même et de nous, cette vérité nous ouvre et nous captive. On pourrait entendre un cil tomber. Pour cet as de la perfection et du retrait anticipé, c'est tout un plongeon. Dans la vulnérabilité. Dans l'inconnu. Dans l'amour. Une émergence en direct de sa pressence.

Après un silence rempli à ras bord de la présence de chacun, Justin et Véra nous disent comment ce contact réel avec Saul leur a fait du bien. Il leur a permis d'embrasser leur propre peur. Autrement dit, leur vérité du cœur.

Dans le passage qui suit, les hésitations de Maria, faisant partie du même groupe, donnent un aperçu des réticences qui peuvent surgir devant une telle mise à nu pourtant libératrice.

Maria, silencieuse comme une carpe, nous observe derrière le rempart de ses tablettes de scribe... Lorsqu'elle se décide à sortir de son mutisme, ses paroles, vides de tout senti, n'ont aucun effet sur le groupe. Comme si elle nous donnait le papier d'emballage sans le cadeau...

Je m'adresse à elle :

— Peux-tu nous dire ce que tu ressens maintenant dans ton corps ?

Maria s'éveille tout à coup. Elle semble émerger d'un long sommeil. Ses mains, agrippées à son cahier, se mettent à trembler. Deux larmes scintillantes apparaissent au coin de ses yeux et tracent deux rigoles humides sur ses joues rosies par l'émotion. La voix rauque, elle nous éjecte sa vérité d'un trait. Comme si elle sortait d'un presto.

— Je n'ose rien dire... J'ai l'impression que je vais mourir si j'ouvre la bouche. J'ai toujours peur de ne pas dire la bonne chose.

À mesure que Maria émerge de sa paralysie, une chaleur douce et dense comme du lait chaud se répand dans ma poitrine et mon ventre. Les autres participants ne se font pas prier pour manifester leur bonheur de la voir sortir de son hibernation. La première tulipe vient de percer la neige. La vie renaît. C'est le printemps ! Chacun exprime son appréciation à sa manière, drôle ou tendre. La joie joue à saute-mouton de l'un à l'autre, signe que la pressence est au rendez-vous. Le Cœur Créateur n'est pas loin.

Comme Maria, vous arrive-t-il aussi d'offrir l'emballage sans le cadeau ? C'est-à-dire de prononcer des mots ou de faire des gestes sans y mettre votre présence vivante ? Chacun de nous pratique à ses heures ce trafic de la *pressence*. Sous prétexte de se protéger, d'obtenir l'approbation des autres ou d'acheter la paix. Dommage. Vous l'avez sans doute remarqué, lorsque vous vous empêchez ainsi de donner de vous-mêmes, vous risquez de vous sentir aussi vides que vos paroles et vos gestes.

Pour éviter d'être vulnérables, malheureusement, vous occultez aussi souvent vos plus belles vérités. Craignant de montrer à l'autre l'importance qu'il a pour vous, vous lui cachez votre besoin de lui ou vous refusez même de lui révéler ce qu'il vous apporte de bon. Adieu ouverture et gratitude ! Adieu donc liberté d'être, car seule l'ouverture peut vous l'apporter.

Je revois soudain Charles, cet homme d'affaires joufflu et jovial. Après avoir réprimé un élan de gratitude envers moi, il accepte enfin de l'exprimer. Ému et surpris, les bras ouverts, il décrit l'effet sur lui de ce don de vérité : « C'est presque mystique ce que je ressens… Ça s'est ouvert et on dirait que j'ai deux fois plus d'espace… On dirait que mon espace s'est élargi jusqu'à toi et que je suis deux fois plus vaste ! » Sans le savoir, il venait de s'ouvrir aux grands espaces du Cœur Créateur…

Avez-vous enfin fondu devant la beauté de la vérité du cœur ? Oui ? Pour vous encourager à injecter à chaud votre vraie présence dans vos créations et dans vos interactions, voici une autre clé : sans votre authenticité, le Cœur Créateur n'a rien pour créer et aimer. C'est de vous à l'état pur dont il a besoin. Vous êtes sa matière première, l'instrument de son œuvre.

Même si vous ne pensez pas faire la pratique qui suit, n'oubliez pas de la lire. Elle vous rendra la vérité du cœur plus tangible et accessible.

L'INVITATION

Pour rayonner, offrez votre présence authentique et vibrante

LA RÈGLE D'IMPROVISATION

Embrassez la vérité du cœur et faites vibrer vos cordes sensibles

L'ESSENTIEL

La vérité du cœur est votre passeport pour entrer dans l'univers du Cœur Créateur. Elle fait vibrer vos cordes sensibles en accord avec ses harmonies et libère votre *pressence*.

Vous pouvez alors rayonner d'une manière captivante, inspirante et bienfaisante pour tous.

Pour faire vibrer vos cordes sensibles, embrassez votre expérience présente dans l'intention d'aimer et de créer. En restant ouverts à votre entourage.

La clé ? Recevez votre réalité actuelle comme un présent et, en retour, offrez comme un don la vérité qu'elle soulève en vous.

Les ondes de cette vérité sont aussi libératrices que contagieuses. Elles se propagent en vous et autour de vous pour métamorphoser votre monde intérieur et extérieur.

L'ART DE LA VÉRITÉ VIBRANTE, DÉSARMANTE, CONTAGIEUSE

Pratiques hors champ

Lorsque vos cordes sensibles ne vibrent pas sur les fréquences de la vérité du cœur, votre *pressence* est maintenue en otage dans les illusions du mental isoloir.

Vous réalisez que vos cordes sensibles ne résonnent pas en présence d'une situation, d'un projet créateur ou d'une personne ? Reconnaissez-le simplement. Votre mental isoloir est sûrement en train de vous distancer des eaux vivifiantes de votre expérience authentique du moment. Par le fait même, il vous coupe de votre flot *créacœur*.

Voici les effets des pannes de courant qu'il provoque :

Vous vous ennuyez, vous avez hâte que ça finisse ou que ça commence. Vous devriez être ailleurs, faire autre chose avec d'autres gens. Vous êtes absents, tendus, fébriles, vidés ou intolérants. Vous avez l'impression qu'il vous manque quelque chose et vous augmentez vos compulsions habituelles — manger, dormir, boire, fumer, magasiner, travailler, séduire. Vous vous jugez à profusion. Ou alors vous trouvez tout le monde quétaine, laid, froid, inintéressant, dérangeant. Tout est compliqué, vous êtes confus, vous tournez en rond. Vous n'appréciez rien. Rien de neuf sous le soleil, rien de nouveau à l'horizon. D'ailleurs, vous le saviez, c'est toujours comme ça, vous n'auriez pas dû ou vous auriez dû…

Considérez ces manifestations comme des invitations à découvrir et à épouser avec cœur une vérité que vous ignorez ou rejetez : une

émotion, un sentiment, un élan, un besoin, une limite, un désir ou un aspect de vous occulté.

Il vous reste maintenant à apprendre comment faire chanter vos cordes sensibles en recevant la réalité comme un présent et en offrant votre vérité comme un don.

1- Une trousse de vérité vibrante, désarmante et contagieuse

Auparavant, je vous invite à entrer dans le monde des métaphores tangibles et des rituels enjoués. Leur magie pratique, parfois rigolote, parfois poétique, vous aidera à sortir de votre mental isoloir trop sérieux qui force du nez.

Pour commencer votre incursion dans ce monde folichon et profond, concoctez-vous une trousse de vérité.

Confectionnez d'abord un archet à votre goût avec une branche ou une baguette, des fils ou des cordes. Ou bien trouvez-en un de seconde main. Il servira à vous laisser toucher par la réalité présente pour faire chanter vos cordes sensibles.

Ajoutez à votre trousse une petite cloche, un gong ou un bol tibétain. Vous les ferez résonner pour vous signaler qu'il est temps de devenir curieux et réceptifs face à ce qui cherche à émerger. Autrement dit, en état de découverte amoureuse.

Pour couronner le tout, confectionnez des antennes de vérité qui capteront les notes justes et vibrantes de votre expérience. Prenez plaisir à imaginer de quoi ont l'air ces antennes abracadabrantes spécialement conçues pour saisir les ondes de la vérité. Quelle fantaisie vous vient à l'esprit ? Des écouteurs avec des oreilles de lapin en tissu ? Un bandeau en laine avec des aiguilles à tricoter en guise d'antennes ?

Des pailles ou des baguettes chinoises décorées ? Deux crayons de fantaisie ou encore une série de trombones accrochés les uns aux autres ? Faites-les de manière à ce qu'elles soient faciles à utiliser.

Au besoin, demandez à vos proches de vous donner des suggestions ou un coup de main pour inventer et fabriquer ces instruments de vérité. Oh ! Oh ! On sort du placard ici. On risque le ridicule. Cette pratique, anodine en apparence, peut soulever tellement de choses qu'il serait dommage de vous en priver. Peur d'avoir l'air fou ou cucul. Manque d'habileté et besoin d'aide. Trop grand désir de faire spécial. Refus d'être ordinaire… Ô horreur ! Eh bien, sachez qu'accepter la possibilité du ridicule libère comme ce n'est pas possible. En plus, votre manque d'habileté est une occasion rêvée de vivre l'échec *créacœur* avec humour. De vous ouvrir à recevoir de l'aide même. Laissez donc votre folle du logis gambader à son rythme. Accordez-vous la joie de jouer librement, comme un enfant qui n'a rien à perdre.

Voilà complétée votre trousse de vérité. Pour rejoindre le monde du Cœur Créateur, vous avez maintenant un archet pour vous ouvrir à la situation présente et y résonner. Une cloche pour éveiller votre curiosité détendue face à ce qui émerge d'instant en instant. Des antennes pour capter les vibrations de la vérité du cœur. Ces trois objets symbolisent les mouvements intérieurs qui feront chanter en harmonie vos cordes sensibles. Ils peuvent vous servir de rappels apparents et palpables pour ces mouvements. Ou alors d'instruments rituels pour induire en vous l'état souhaité.

Êtes-vous d'accord pour les étrenner et recevoir votre réalité comme un présent, offrir votre vérité comme un don ?

2- Pour recevoir la réalité comme un présent

Choisissez une personne ou une situation qui vous préoccupe, vous touche, vous intrigue ou vous dérange présentement.

Ouvrez-vous à la possibilité qu'à travers elle, le Cœur Créateur tente d'accorder vos fréquences sur la vérité du cœur pour improviser des harmonies nouvelles. Même si cette réalité vous semble négative, laissez son archet vous toucher et vous harmoniser à travers elle.

Servez-vous de votre archet (ou visualisez-le) pour jouer sur votre poitrine, votre gorge, votre ventre. C'est là que se logent vos cordes sensibles. Laissez votre archet vous ouvrir amoureusement pour les faire résonner. Répétez en même temps une de ces phrases :

— *Cette réalité est parfaite pour faire émerger la vérité du cœur qui me fera vibrer et rayonner.*

— *Cette réalité est l'archet avec lequel le Cœur Créateur joue sur mes cordes sensibles pour en tirer des notes harmonieuses.*

Répétez en respirant doucement.

Portez attention à l'ouverture que ces mots créent en vous. Ne vous concentrez pas sur le contenu de la situation, du malaise ou du conflit. Mais sur l'espace qui respire, ondule et se déploie dans votre corps vibrato. Laissez cet espace prendre de l'expansion.

Observez comment votre attitude et votre perception changent par rapport à ce que vous rencontrez.

Inspirez profondément et, sur l'expiration, exprimez ce changement par un son. Ce peut être un *ahhh*, un *mmm*, un *ouuu*. Allongez et modulez ce son pour chanter une berceuse à la vérité qui germe en vous. Amplifiez-le. Faites-le vibrer dans votre corps, pour créer un nid d'ondes sonores d'où cette vérité pourra émerger. Vous voilà devenus une caisse de résonance accordée sur les fréquences du Cœur Créateur.

Votre corps vibrato est maintenant prêt à recevoir la vérité du cœur.

3- Pour recevoir et offrir votre vérité comme un don

Et maintenant, que le concerto de la vérité en sol majeur commence !

Faites d'abord sonner votre cloche pour éveiller votre curiosité et entrer en état de découverte amoureuse. Choisissez ensuite une question parmi celles que je vous suggère ici :

— *Quelle vérité ai-je besoin d'embrasser avec cœur pour être libre, vibrant et ouvert maintenant ?*

— *À quelle évidence dois-je m'ouvrir pour que ma pressence prenne la clé des champs ?*

— *Qu'est-ce qui a besoin d'amour ou d'acceptation en moi pour reprendre vie et s'épanouir ?*

— *Quelle vérité simple et nue ai-je besoin de m'avouer pour sonner juste et m'accorder à ce qui m'entoure ?*

— *Qu'est-ce que je dois cesser de nier ou de minimiser pour que les accords du Cœur Créateur me rejoignent, ici et maintenant ?*

C'est le temps de mettre vos antennes pour capter les notes de la vérité du cœur. Sa mélodie émergera organiquement, à l'endroit de votre corps vibrato où vous sentez que l'archet du Cœur Créateur vous atteint et vous fait réagir. Restez à l'écoute avec une attention décontractée. Acceptez la première vérité simple et vibrante qui se pointe sous forme de mots, d'impulsions, de gestes ou d'images. Quelle que soit sa teneur, elle vous étonnera et vous chavirera, un peu, beaucoup ou à la folie.

Est-ce un sentiment de gratitude, d'admiration ou de joie ? Une peur ou une limite saine (je ne veux pas…) ? Un aveu libérateur (je ne sais pas quoi faire, je ne l'ai pas l'affaire…) ? Un besoin (j'ai besoin d'aide…) ? Une peine, une jalousie, une envie, une honte ? Une vulnérabilité (je trouve ça dur…) ou un élan amoureux ?

Recevez cette vérité comme un cadeau. N'essayez pas de la changer.

Continuez à accueillir ce qui se passe en vous jusqu'à ce que vous sentiez le flux de votre présence revenir au bercail. Que ce flux soit subtil ou intense, vous sentirez les courants de votre vie se remettre en branle. Vous serez touchés, inspirés, animés de l'intérieur.

La vie se remettra alors à circuler dans votre corps, tout doucement comme une eau tranquille ou vivement comme un torrent. Vos cordes sensibles vibreront en chœur. Votre respiration s'ouvrira et déploiera ses voiles. La joie s'éveillera et pétillera tendrement ou allègrement. Vos peurs s'apaiseront comme des enfants bercés. Vos élans auront le goût de s'élancer. Vos inspirations allumeront leurs chandelles. Votre cœur fera trois petits tours et se remettra à pomper de l'amour.

Décrivez dans vos propres gestes, mots ou images cette sensation intérieure du flux de la vérité du cœur. Exprimez-la dans une danse, un poème, un dessin, un chant.

Plus vous répéterez cette pratique, plus elle deviendra une seconde nature.

Vous n'arrivez pas à faire vibrer vos cordes sensibles ? Soit vous n'avez pas l'attitude de curiosité et de compassion appropriée face à ce que vous vivez. Soit une part de vous résiste par peur, honte ou ressentiment à recevoir la vérité qui vous habite. Soit vous voulez avoir un effet ou un contrôle sur l'extérieur au lieu de découvrir et exprimer votre vérité intérieure.

Pas de panique ! Considérez ces difficultés comme la vérité présente à recevoir et à faire vibrer. Pas moyen d'y échapper à cette sacrée vérité !

Si le cœur vous en dit, demandez-vous gentiment, comme si vous parliez à quelqu'un que vous chérissez :

— *Qu'est-ce que j'évite ou fuis présentement, qu'est-ce que je ne veux pas m'avouer ?*

Restez alertes et recevez ce qui surgit.

Si rien ne vient, prenez une pause bien méritée. Si vous gardez votre cœur et votre esprit ouverts, sans forcer, la vérité radieuse risque de venir vous surprendre au moment où vous vous y attendez le moins.

Transmettez cette vérité à la personne qui, selon vous, en bénéficierait le plus.

Pratiques sur le champ

1- Montez un mini studio d'enregistrement des vérités du cœur

Dans votre bureau ou votre atelier, installez bien en vue votre archet, votre cloche, vos antennes. Ajoutez-y un cahier pour y inscrire les vérités vivantes que vous aurez captées. Comme des parents gagas devant leur nouveau-né, écrivez à propos de chacune d'elles l'histoire de sa venue au monde. Ses premiers mots, ses premiers gestes, ses premiers pas. Comment est-elle née ? Dans quel contexte ? Quels obstacles a-t-elle rencontrés ? Qu'est-ce qui vous a permis de la libérer ? Qu'a-t-elle éveillé en vous ? Quel effet a-t-elle produit sur votre entourage ?

Si quelqu'un vous questionne sur votre installation, c'est le temps ou jamais d'être vrai ! Répondez-lui que c'est un studio d'avant-garde pour entendre la musique de vos cordes sensibles… Il vous prend pour un fou ? Tant mieux ! On manque de cette sorte de fous dans notre société ! Et c'est connu, plus on est de fous, plus on s'amuse…

2- Faites une cure de présence authentique et contagieuse

Pour défaire vos vieux plis et redonner vie à votre présence, prenez vos proches par surprise. Insérez un élément inattendu dans vos comportements habituels.

Choisissez, parmi les questions suivantes, celle qui vous parle le plus et faites la suggestion qui l'accompagne :

— *Est-ce que je laisse l'archet de la réalité me toucher et faire chanter mes cordes sensibles ?*

Si vous avez tendance à être inatteignables, sortez votre archet pour vous laisser toucher et transformer par ce que vos proches ou votre milieu vous apportent de bon. Comment vous font-ils vibrer ? Comment vous sentez-vous en leur présence ? Qu'est-ce qui vous re-joint le plus dans leur manière d'être avec vous ? Lequel de leurs gestes ou comportements vous touche particulièrement ? Que vous apportent-ils d'unique et d'inédit ? Prenez le temps d'en ressentir l'impact dans votre corps vibrato : chaleur, pétillement, détente, ouverture, paix, joie.

LE CŒUR CRÉATEUR

— Est-ce que je donne de l'importance à mes proches en acceptant d'être ému, transformé, inspiré par eux ? En leur exprimant l'effet réel qu'ils ont sur moi ?

Offrez-leur ensuite cet impact sous une forme surprenante. Faites-en un slam et récitez-le leur. Écrivez-le dans une carte et placez-la dans leurs souliers ou sous leur assiette. Inscrivez-le sur leur papier de toilette ou chantez-le leur… ou les deux. Savourez les harmonies nouvelles qui se forment entre vous.

— Est-ce que j'exprime avec cœur les notes justes et simples de mon expérience ?

Embrassez avec cœur une vérité que vous sentez rôder dans vos parages depuis un moment et à laquelle vous résistez. Observez les effets de cet aveu dans votre corps vibrato : soulagement, respiration plus libre, ouverture… Faites profiter votre entourage de cette nouvelle manière d'être.

— Est-ce que je suis prêt à entendre la vérité, même quand ça ne colle pas à l'image que j'aimerais avoir ou projeter de moi ?

Lorsqu'on vous exprime une vérité qui ébranle votre image de vous, vous avez tendance à vous obstiner ? À vous défendre ? Au lieu d'étouffer l'autre, acceptez de l'écouter et offrez-lui la joie de vous laisser toucher par sa vérité.

— Est-ce que je fais don à mon entourage de ma présence réelle et juteuse, ou seulement de l'emballage ?

Engagez-vous corps et âme dans une interaction où vous vous contentez de donner l'apparence d'être présents. Si vous dites souvent oui, puis mettez les autres en attente, ou encore si vous faites les choses du bout des lèvres, étonnez tout le monde. Vous le premier. Faites ce

84

que vous dites, en donnant votre pleine présence. Observez les réper-cussions de cet étonnant revirement. N'oubliez pas de l'enregistrer dans votre studio.

— Est-ce que je bouge et interagis en accord avec la vérité du cœur ?

Dans un conflit ou une situation épineuse, laissez-vous surprendre par la vérité de votre cœur et choisissez d'agir en accord avec elle. Observez sur vous et sur le monde qui vous entoure les effets de votre nouvelle identité.

Bonne cure !

QUATRIÈME MOUVEMENT

Dansez avec l'imprévu pour libérer votre flot *créacœur*

ou comment valser avec vos proches sans leur piler sur les pieds

~

L'invitation, la règle d'improvisation, l'essentiel

~

L'art de découvrir des mouvements inédits
à partir de tout et de rien

« Si vous êtes capable de porter attention et de répondre à ce qui émerge au fur et à mesure, le processus offre des profondeurs, des surprises et des défis perpétuels. La création est un flux sensible et instinctuel qui détermine où aller et quoi changer ou omettre. »

Shaun McNiff, *Art As Medicine*

« On ne peut s'empêcher de s'abandonner à cette tapisserie plus vaste qui tisse si élégamment nos espoirs et nos ambitions avec ceux de nos proches, enlaçant d'une manière exquise le développement de l'un à celui des autres. »

Christopher M. Bache, *The Living Classroom*

« Lorsque nous avons une inspiration, que ce soit en amour, en création, en musique, en écriture, en affaires, en sports, en méditation, nous nous accordons à cet univers toujours présent, toujours changeant qui nous renseigne sur la structure profonde de notre monde, ce Tao éternel et fluide. »

Stephen Nachmanovitch, *Free Play*

« Être dans la Résurrection, c'est s'identifier à l'acte de vivre dans sa continuité créatrice d'instant en instant. La Résurrection se passe maintenant et elle est toujours en mouvement. »

Béatrice Bruteau, *The Grand Option*

Entrez dans la danse et vos partenaires suivront !

C'est le temps de danser maintenant ! Ah oui ? Eh oui ! Que diriez-vous de bouger sur les cadences de DJ Allegro en captant ses accords dans ce que vous vivez et rencontrez ?

Vous aurez alors la surprise de découvrir que chaque instant de votre vie a un potentiel artistique. Qu'il peut avoir la grâce et la vitalité d'une salsa. La beauté mystérieuse d'un poème. La tendresse d'une chanson d'amour. La joyeuse folie des bouffons. L'ardeur des éclosions amoureuses et créatrices. La liberté d'un jeu d'enfant. L'enchantement et la profondeur d'un conte plein de sens. Quel bonheur !

Comment une telle vie d'artiste est-elle possible au jour le jour ? Je vous l'explique de ce pas.

Primo, notre monde est comme un hologramme où la plus petite partie peut refléter la totalité. Oui pis, qu'est-ce qu'on fait avec ça ? On s'ouvre à une merveilleuse et surprenante possibilité : chaque rencontre, émouvante, marquante ou dérangeante, recèle une ouverture inespérée qui nous permet d'entrer au Pays des Merveilles, comme Alice, pour contempler le ciel criblé d'étoiles filantes de l'Univers.

Oui pis, qu'est-ce qu'on fait avec ça ? On aborde chacune des expériences et des personnes de notre vie comme un canal pour la globalité poétique, vibrante, harmonieuse, fluide, amoureuse, ingénieuse et riche de sens du Cœur Créateur. On perçoit tout et tous comme des miroirs, des portes d'entrée et des courroies de transmission pour son monde foisonnant.

Ça veut dire qu'au lieu d'étrangler votre enfant parce qu'il a jeté votre passeport dans les toilettes, question de voir si votre visage allait flotter… qu'à la place de vous enfermer jour et nuit dans votre chambre avec des romans Arlequin parce qu'un prince décharmant et désenchantant n'a pas demandé votre main… ou de consacrer le reste de votre vie aux jeux vidéos parce qu'un éditeur à courte vue a refusé votre manuscrit, vous allez remplacer ces choix si éclairés par LA question à cent piastres : comment DJ Allegro transmet-il ses rythmes et ses harmonies à travers ma rencontre avec cette circonstance ? Autrement dit, vous saurez que ces situations sont là pour faire naître en vous des mouvements amoureux inédits qui traceront, dans votre cœur, votre corps et votre esprit, des chemins insoupçonnés vers le Cœur Créateur et ce qui vous tient à cœur.

Ce qui nous parachute en ligne droite sur le palier de Secundo (oui, oui il y a un Primo plus haut, il est un peu loin mais allez voir il est là) : à tout instant, la danse entre les symphonies de ce DJ et ce qui peuple notre monde tend à faire naître en nous un mouvement original et *créacœur*. Celui-ci conspire à l'épanouissement amoureux et à la libération créatrice de chacun.

Ce qui nous jette sans hésitation dans les bras de Tertio : lorsqu'on libère et suit ce mouvement unique, les rythmes sous-jacents rassembleurs de DJ Allegro se révèlent. Ils relient chacun de nos pas à ceux des autres dans une inspirante chorégraphie collective en perpétuelle expansion. De l'art à son meilleur !

Ça y est ! Vous êtes en position de capter les courants rafraîchissants du Cœur Créateur dans tout ce que vous vivez. Vous ajouterez ainsi votre touche personnelle au tissu mouvant et fascinant de ses improvisations. À son niveau rien n'est séparé, alors collaborer avec lui c'est vous relier harmonieusement à tout. Vous verrez alors avec quelle ingéniosité il répond, d'instant en instant, aux soifs profondes de chacun. Vous développerez une confiance radieuse dans sa sagesse, son rythme et ses mouvements organiques. Vos sentiments d'isolement et de découragement fonderont comme neige au soleil.

Ça s'peut pas ! Oui ça s'peut ! Ça s'peut pas ! Oui ça s'peut ! Ça s'peut... Et si vous cessiez d'écouter les discussions tourne-en-rond de votre mental isoloir pour découvrir ces potentialités juteuses ? Rappelez-vous que tout est une question de *Qui* et de *Pourquoi*. *Qui* est de garde en vous à ce moment-là et quelles sont ses intentions ?

Pour découvrir ces chorégraphies et ces filons providentiels, il s'agit d'abord de recevoir l'imprévu, et même l'indésiré, comme un cadeau et d'offrir comme un don le mouvement unique et essentiel qu'il génère en nous.

Vous risquez d'être aussi béats que mes participants lorsqu'ils surgissent des endroits les plus inattendus. Ils ont alors le sentiment que cette impulsion *créacœur* était déjà là, entière, comme un poussin prêt à sortir de sa coquille. Qu'elle attendait simplement leur consentement pour voir le jour. Ils sont émerveillés de réaliser que leur vie et leurs espoirs s'épanouissent dans une toile opulente et non en circuit fermé. Ils se réjouissent de voir leurs couleurs uniques s'entrelacer à celles des autres pour créer un paysage collectif d'une beauté touchante.

Un rêve que j'ai fait il y a plusieurs années illustre cette danse avec le Cœur Créateur.

Je galope à vive allure sur un cheval sauvage. Le paysage dans lequel on évolue est comme une page blanche ou un écran vierge. Aucun mot, aucune image ne s'est encore projeté dessus. Transportée, je crée le paysage d'instant en instant. Au gré des inspirations qui me viennent, au rythme des mouvements de ma monture (mon flot créacœur). Je les capte dans un vertige, à la lisière du vide. Je ressens une liberté et une joie immenses.

Trouvez le flot... et transmettez-le aux suivants

Pour être ainsi portés et transportés, vous devez sortir de l'univers restrictif du mental isoloir en accueillant comme un don tout ce qui surgit à l'improviste en vous et autour de vous. Une telle ouverture affranchit votre flot *créacœur*. Dès lors, la respiration des relations retrouve son souffle créateur et trame des liens neufs qui vous plongent dans l'univers opulent du Cœur Créateur.

Dans ces conditions, votre existence vous apparaît comme une aventure artistique et amoureuse fascinante. Chacun des éléments de votre vie et de votre environnement devient un partenaire potentiel dans la création d'un monde plein de sens. Quelle que soit leur apparence, vous les abordez avec une curiosité et une disponibilité rafraîchissantes. Votre vie devient attirante. Avec tout ce qu'elle comporte. Par la force des choses, vous l'épousez de plus en plus facilement et allègrement. La qualité de vos perceptions, de votre expérience et de votre présence s'en trouve transformée. Votre danse avec le monde ambiant pareillement.

Imaginez un méga jeu symbiotique de tague où chaque joueur serait responsable de recevoir, puis de transmettre à son entourage la tague du flot *créacœur*. À la différence qu'ici, celui qui reçoit et donne la tague le plus souvent gagne... Et tout le monde avec lui.

Pour que cette symbiose ait lieu, chacun doit se laisser rejoindre par le flot *créacœur* contenu dans ses circonstances de vie actuelles en embrassant et en libérant ce qu'elles soulèvent en lui. Il lui suffit ensuite d'interagir avec son milieu à partir de son flot libéré. C'est à ce moment-là que la respiration des relations prend sa pleine expansion. On se sent tous inspirés, vivifiés, unis par son souffle libérateur et harmonieux. N'oubliez pas. Le flot *créacœur*, ça se déguste dans l'instant. Ça s'épanouit et ça fait des p'tits uniquement en liberté, lorsque c'est partagé. Enfin, ça comble autant celui qui l'offre que celui qui le reçoit.

Pour vous mettre l'eau à la bouche, la puce à l'oreille et le pied à l'étrier, voici maintenant un exemple cocasse et anodin en apparence. Il est pourtant chargé à bloc de liens juteux et révélateurs. Je l'ai adapté ici de *Bungee, Vibrato et Tango*, pour illustrer mon propos.

Justine adore manger ses rôties avec le beurre qui fond dessus. Jusqu'ici, tout est normal, qui n'aime pas ça ? Le hic, c'est qu'elle n'a pas de couteau à portée de la main. Son petit garçon, lui, en a un. Mais le petit diable, pas plus haut que trois boulets de canon, refuse de lui prêter le sien. Na, na, na, na, na ! Justine me raconte, éberluée, comment elle est entrée dans une colère noire.

Je saute sur l'occasion pour faire plusieurs ôhhh ! de mon cru. Je l'interroge d'emblée sur ce qui est le plus frustrant pour elle là-dedans — il résiste à mon besoin. Dans un deuxième temps, je lui demande de quoi ce refus enfantin la prive le plus. Autrement dit, ce qu'il l'empêche de vivre, d'être ou d'exprimer — je ne peux pas goûter au plaisir de manger mes rôties comme je les aime. Ces questions l'invitent à embrasser et à libérer ce qui est blessé et brimé en elle par l'intermédiaire de cette interaction.

Grâce à elles, on découvre la perle cachée dans cet incident. Entre les deux pôles de ce mini conflit, se trouve une part de la *pressence* de Justine : sa disposition à recevoir, savourer et partager ce qui est bon dans l'instant. Celle-ci était coincée entre la part d'elle qui a besoin de soutien (le couteau de son fiston) et la part d'elle qui résiste à ce besoin (le *non* de ce petit entêté). Ôhhh !!!

Son petit bout d'homme représentait sa propre barrière face à son besoin de se laisser rejoindre et nourrir par ce qui est bienfaisant. Accepter ce besoin lui permettra de s'ouvrir. Elle pourra alors goûter aux délices fondants de son cœur et aux bontés de son entourage. Je ne suis pas surprise de cette découverte. Dans nos sessions, pour éviter de s'abandonner au vide *créacœur*, elle a l'art de se braquer, comme son fiston, quand vient le moment d'accueillir ce qu'elle reçoit de bon et de nouveau.

Les chemins du Cœur Créateur sont-ils assez imprévisibles, atypiques à votre goût ?

Les conditions atmosphériques pour danser avec le Cœur Créateur

Lorsqu'il danse, le Cœur Créateur est fabuleusement enjoué, prodigue, spontané, astucieux, fluide et polyvalent. Pour vous transmettre ses mouvements créateurs, il s'appuie sur la vérité et la réalité présentes. Et, ce n'est plus un secret, il se sert de chacun de vos liens pour nourrir ses créations.

Pour saisir ses invitations impromptues et profiter de ses largesses, vous devez donc devenir ludiques (exit le lourd et le trop sérieux). Saisir le moment (exit le réchauffé et le prévisible). Laisser tomber les artifices et les illusions (exit le faux et le fuyant). Participer de tout cœur (exit le calculé et le mitigé). Vous faufiler partout (exit le rigide et le coincé). Et enfin, tout inclure dans vos explorations (exit le jugeant et le snob), même si ça vous semble farfelu ou difficile. Pas évident mais tellement libérateur !

Votre intention coureuse de fond vous donnera un coup de main : *aborder tout ce que vous rencontrez comme étant la forme que prend le Cœur Créateur pour aimer et créer avec vous du bon, du beau et du nouveau pour tous.*

Encore et encore, cette intention bon-génie vous sortira de votre négativité par la peau du cou. Elle alignera vos antennes sur les mouvements de cette danse porteurs de sens et de vie nouvelle.

Si vous voulez suivre le Cœur Créateur dans ses déplacements, il y a une autre condition à remplir : rendre votre volonté aussi flexible qu'une corde à danser. À répétition, vous aurez à lâcher prise sur la forme et la voie que prendra la réalisation de vos rêves. Impossible ici de contrôler qui ou quoi que ce soit. C'est la seule manière de découvrir les filons qui vous relient à la vaste mosaïque de ses créations amoureuses.

Malgré les réactions de votre mental isoloir, je vous encourage fortement à cesser de vous agripper, comme un gangster à son otage, à ce que vous croyez être la seule et unique façon de parvenir à vos fins : la vôtre ! Je vous suggère d'écouter plutôt les invitations de cet improvisateur né. Même si elles vous jettent en bas de votre cheval ou si elles ébranlent vos certitudes.

Mmm, j'entends au loin quelques hennissements, grognements et grincements de dents… Si ce sont les vôtres, je comprends. Que c'est difficile pour nous ce lâcher-prise sur la forme et le temps ! Pour maintenir le statu quo, notre cher ego est désespérément occupé à prouver qu'il a raison et qu'il sait comment les choses devraient se passer. Il cherche constamment à s'asseoir sur les lauriers, à éviter l'inconnu, à fuir l'inconfort et à se faire lancer quelques fleurs au passage. Il tient à tout contrôler d'avance. *Ce qui* va se passer. *Comment* ça va se passer. *Quand* ça va se passer. *Avec qui* ça va se passer. *De quoi* ça va avoir l'air. *Ce que* ça va lui rapporter. *Comment* les gens vont réagir. Et j'en passe ! C'est aussi futile que de vouloir découvrir ce qu'il y a derrière une porte sans l'ouvrir. Mais, que voulez-vous, tout ce qui dérange ses prétentions et ses acquis l'horripile, l'enrage, le rend malade. C'est pourquoi il s'entête à rivaliser avec le Cœur Créateur : il est capable d'attacher ses lacets tout seul, bon (le hic c'est qu'il ne voit pas qu'il a les deux pieds dans la même bottine et les deux yeux dans le même trou) !

Que diriez-vous de vous pratiquer à être vifs comme des colibris ou des petits poissons des chenaux ? Fluides et flexibles comme la crinière d'un cheval sauvage dans le vent ? Confiants et enjoués comme les enfants qui anticipent la venue du Père Noël ?

Si vous vous délestez de vos visions trop étroites et de vos crampes trop volontaires, vous serez ravis de voir le futur émerger sous vos pas à mesure que vous avancerez dans l'inconnu. Le courant d'inspiration, d'amour et de vie du Cœur Créateur deviendra la source de vos faits et gestes. Vous découvrirez ses territoires à la fois immenses et intimes.

Tel un chef d'orchestre, il vous indique à chaque instant le mouvement à suivre pour participer à la création de ses harmonies inédites. Il vous fait signe à travers ce qui vous touche, vous intrigue, vous brasse ou vous allume. Inutile, donc, de vous triturer les méninges pour savoir d'avance la voie à suivre. De toute façon, mieux vaut le laisser prendre les rênes. Son éventail de ressources et de possibilités est tellement plus large que le nôtre. Son talent pour improviser des accords répondant à l'épanouissement de chacun est encore plus renversant.

N'ayez crainte, pour suivre les pistes revigorantes que recèle votre entourage, vous n'aurez pas à vous plier aux quatre volontés des autres ou à vous perdre en eux. Au contraire, pour collaborer à la création commune, chacun doit être branché sur son propre flot *créacœur* et son expérience unique.

De toute façon, il est impossible d'offrir à son entourage le meilleur de soi si on se moule à lui pour ne pas déplaire ou faire de vagues. Tout comme le chanteur d'une chorale ne doit pas imiter la voix de son voisin ou répéter ses fausses notes pour contribuer à l'ensemble. Si on n'épouse pas son mouvement unique, il est impensable d'inspirer ses proches. Encore moins d'enrichir de sa propre saveur la création en cours. C'est la condition sine qua non pour créer entre nous des liens fertiles.

En dernier lieu, si vous voulez suivre le tempo du Cœur Créateur, évitez de vous appesantir sur vos erreurs ou sur celles des autres. Supposez qu'un musicien fait une fausse note dans une improvisation collective. Imaginez que les autres membres du groupe se précipitent sur lui pour lui faire la leçon ou le traiter de sans-dessein. Et que celui-ci arrête de jouer pour se taper sur la tête et se justifier. Adieu musique n'est-ce pas ? Pour que la musique suive son cours, celui qui commet une bévue et ceux qui l'accompagnent sont mieux d'utiliser leur attention et leur talent pour créer du beau et du nouveau avec ce faux pas. Se battre contre leurs failles les déconnecterait du flot mouvant d'inspiration. Par le fait même, ils iraient à l'encontre de leur désir le plus cher : créer ensemble. Cette intention doit donc primer pour qu'ils demeurent en état de découverte amoureuse, pour que leur art s'épanouisse et que leur collaboration porte fruit.

En résumé, pour entrer dans la danse du Cœur Créateur, devenez enjoués, spontanés, engagés dans l'instant, curieux et accueillants envers vous-mêmes et votre entourage. Mine de rien, vous ferez les trois sauts propices à l'état de grâce : vous plongerez dans la réalité présente, dans ce qui émerge d'instant en instant et dans le champ *improrelationnel*.

Où les trouver, ces fameuses possibilités ?

Comme le plus fou et le plus inventif des amoureux, le Cœur Créateur tente jour et nuit d'entrer en contact avec vous. Il place des mots doux et des invitations créatrices dans la moindre chose, insignifiante ou grandiose, qui attire votre attention. Ce qui vous intrigue, vous allume, vous assomme, vous désespère, vous déséquilibre. Ce qui vous fait pleurer, frissonner, rager, fondre de tendresse, sauter de joie, rougir de honte ou verdir d'envie. Il cherche autant à vous rejoindre à travers une opposition féroce ou une répartie déstabilisante. Une situation accidentelle heureuse ou dérangeante. Un conflit, un échec, un blocage, une jalousie de votre part. Une nouvelle ou une rencontre inattendue. Une sensation surprenante, un besoin irrésistible de déblatérer sur quelqu'un. Un paysage inspirant, les paroles d'une chanson ou un rêve marquant…

Lorsqu'une situation, une sensation ou une interaction vous revient continuellement à l'esprit parce qu'elle vous dérange ou vous fait rêver, n'essayez pas de vous en départir. C'est le Cœur Créateur qui vous poursuit à travers elle… Il y a déposé une possibilité *créacœur* que vous devez découvrir et libérer.

Outre les rêves, les interactions, les malaises ou les blocages qu'ils explorent habituellement, mes participants ont accédé à ce flot vivant d'informations en portant attention à toutes sortes d'incidents. Un chien qui les énerve. Une fuite d'essence. Un chauffeur de taxi trop lent. Un mal de dos. Un bouchon de circulation. Un commérage. Un bruit dérangeant. Un oubli surprenant. Un mâcheur de gomme énervant. Un geste qui leur échappe. Un retard. Une rougeur qui les gêne…

Vous découvrirez vous aussi comment tout ce qui vous fait réagir peut contenir une part de votre *pressence* marginalisée. Celle-ci tente de capter votre attention en passant par la moindre petite chose. Elle espère ainsi réintégrer et enrichir le flot organique de votre vie pour vous relier à ce qui vous entoure d'une manière plus riche et captivante.

En voici quelques exemples.

Un matin, après avoir fait le plein, Océane, un petit bout de femme en fuite perpétuelle, oublie de retirer le tuyau de la pompe à essence qui se déverse alors sur l'asphalte. Elle découvre, en explorant ce geste manqué, comment elle perd son essence et son énergie en fuyant constamment le moment présent.

Angèle, une grande dame tout en nerfs, se réconcilie avec la lenteur naturelle de son enfance, si souvent décriée par sa mère. Comment ? En explorant son intolérance envers un chauffeur de taxi trop lambin à son goût. S'il a senti l'impatience d'Angèle en conduisant (ce qui ne me surprendrait pas), cet inconnu serait sûrement heureux de savoir le millage qu'il lui a fait faire dans son parcours intérieur.

Rufus, de son côté, se rapproche de son désir d'être écrivain en utilisant un rejet monumental pour libérer les aspects de lui-même qui étaient captifs de son indéfectible performant si paralysant. Il n'aurait jamais cru qu'à partir d'une telle épreuve, il retrouverait sa liberté d'expression et produirait plusieurs projets créatifs qui le raviraient.

Comment mettre à jour ce mouvement unique rassembleur

Rappelez-vous que c'est dans les moments où on n'est ni en contrôle, ni en terrain connu, que le Cœur Créateur peut faire son entrée sur la scène de nos vies.

Pour collaborer avec lui, soyez attentifs aux signaux qu'il vous envoie. Considérez ce qui se présente à vous comme porteur du prochain pas *créacœur* qui vous fera danser avec lui. Abordez votre expérience et votre entourage comme s'ils contenaient un trésor de vie, d'amour et d'inspirations qui vous rapprochera de tout ce qui vous tient à cœur. Ancrez-vous dans votre intention de fond. Restez ouverts et curieux face à ce qui peut émerger de bon, beau et nouveau de l'imprévu.

Dans cet autre passage adapté de *Bungee, Vibrato et Tango*, remarquez comment l'inattendu et même l'indésirable m'ont permis d'accéder, avec mes participants, à l'univers du Cœur Créateur. Ici comme ailleurs, l'intention et l'attitude — le *Qui* et le *Pourquoi* — font toute la différence. Observez comment est né un mouvement unique, répondant à mes vœux et à l'épanouissement de mes participants, lorsque j'ai embrassé mon état actuel pour être présente à moi et aux autres. Notez aussi comment, à partir d'un état intérieur à première vue négatif, j'ai adressé au Cœur Créateur une petite prière — un mélange d'intention, de question et d'abandon — pour qu'il vienne à ma rencontre.

J'anime une session de groupe. Il nous reste un peu plus d'une heure avant le dîner et je sens une baisse d'énergie dans le groupe. En moi aussi :

je n'ai aucune envie de travailler, aucune idée en vue. Sauf que je suis l'animatrice. Au secours, quoi faire ? Ha ! Aller aux toilettes, lieu d'inspiration par excellence. Donc, petite pause répipit pour tout le monde. Une fois sur le trône, je choisis d'aborder ce manque de motivation inquiétant comme une invitation du Cœur Créateur. Une incitation à sortir du convenu pour aller explorer de nouvelles avenues dans son monde inespéré. Une supplication monte alors spontanément de mes entrailles en même temps qu'elles se déversent par le bas : pourriez-vous m'envoyer une inspiration, ça urge ?! J'éprouve soudain une folle envie de faire l'école buissonnière et de jouer. OK, suivons le guide. Pouvez-vous me dire à quoi on va jouer, s.v.p ? Ah !? Pourquoi ne pas me servir de mon état présent et en faire un jeu de rôle ? Une idée me vient. Quelques-uns se transformeront en enfants de deux ans qui disent noooon ! à tout ce qu'on veut leur imposer. Et une personne désignée jouera un parent sévère et contrôlant qui doit les ramener dans le droit chemin. L'idée obtient un grand succès auprès du groupe qui s'y jette à corps perdu. Cette débandade donne lieu à un feu roulant de jeux théâtraux criants de vérité et d'inventivité. Ils sont accompagnés de fous rires, de bousculades échevelées et d'explosions de spontanéité. Des prises de conscience magistrales sur la manière dont chacun résiste ou se soumet au contrôle couronnent le tout.

En embrassant cet état à première vue indésirable, et en faisant une supplication-question au Cœur Créateur, un mouvement original a surgi en moi : le goût de jouer. Comme j'étais axée sur le bien-être de mes participants, ma supplication contenait implicitement ces mots : *quelle inspiration me permettrait d'utiliser mon goût de faire l'école buissonnière pour contribuer à l'épanouissement de tous ?* Mon obstacle du moment est alors devenu un atout et un ajout pour ma tribu. Comme si le Cœur Créateur avait planté en moi cette graine de farniente déconcertante — apparemment en conflit avec ma tâche d'animatrice

— pour répondre à une aspiration commune sous-jacente : libérer une part de notre *pressence* fluide et débridée vis-à-vis de nos contraintes respectives.

De même, au chapitre 2, le mouvement unique contenu dans mon « Je ne sais pas quoi faire » a dégagé mon flot *créacœur*. Celui de mes participants aussi. À tout moment, il y a donc un mouvement et un motif qui vous raccordent simultanément à votre flot de vie et à celui de votre entourage.

Pour voir apparaître les paysages improvisés par le Cœur Créateur, il s'agit de se relier ensemble à travers les éléments de nos vies et de nos expériences uniques. Tout comme il faut réunir les différents morceaux d'un casse-tête dans un plus grand tout pour voir apparaître l'image globale.

Voyez maintenant comment Fabrice, un enseignant zélé, utilise un sentiment d'envie pour découvrir le mouvement inédit qui le relie aux courants du Cœur Créateur. Sur le point d'animer un atelier en massothérapie, il éprouve une déception mêlée d'envie en écoutant un ami décrire l'escapade en forêt qu'il prévoit faire pendant la fin de semaine. Une fois sa déception embrassée, je lui demande ce qu'il pourrait vivre s'il était dans la peau de son ami. Les mots « douceur de vivre » jaillissent de son for intérieur. Je l'invite sans tarder à les prendre comme guides pour son atelier : *et si cette douceur de vivre était exactement ce dont tu as besoin pour aider tes étudiants à se rapprocher d'eux-mêmes, de toi et de ce qu'ils souhaitent découvrir ?* Fabrice s'ouvre avec étonnement et bonheur à cette possibilité.

Selon ses dires, cette qualité d'être lui a procuré une fluidité et une légèreté aussi rafraîchissantes que contagieuses. Le climat de sa classe s'en est trouvé d'autant plus détendu et enjoué. Ses étudiants ont pris leurs difficultés moins au sérieux. De sorte qu'ils ont pu apprendre avec une aisance et un plaisir accrus. En prime, Fabrice a savouré et partagé la douceur de vivre qui lui faisait envie et qu'il ne croyait pas accessible dans sa peau d'enseignant.

Que dire de la voie désopilante empruntée par le Cœur Créateur pour que notre Joséphine, toujours à la recherche de l'état de grâce, laisse tomber une autre de ses barrières ? Une barrière qui l'empêche de retrouver sa liberté d'être et de découvrir des voies d'expression pour ses talents. Lorsqu'un beau jour elle m'avoue, la voix teintée de mépris, qu'elle rêve d'étrangler le chien de son amoureux, je l'invite à préciser l'effet qu'il a sur elle. La réponse arrive comme une balle : ce quadrupède puant, bavant, bruyant la met en rogne et l'horripile. Il empiète sur son espace avec ses habitudes de chien. Elle se sent forcée de tenir compte de son existence. Sans compter ses multiples besoins. Il faut vraiment être dérangé, taré, névrosé pour être aussi dépendant !

Vite, essayons de faire apparaître le mouvement unique caché dans cette interaction ! Je saute sur l'occasion pour faire un mariage imprévu entre son désir brûlant de créer et cet animal qui lui met le feu au cul :

— Et si tu t'ouvrais à la possibilité que ce chien vient chercher chez toi ce que tu as besoin d'embrasser, de libérer et d'offrir pour te réaliser artistiquement ? Qu'est-ce qui émergerait de nouveau en toi ?

À mesure que Joséphine épouse cette perspective, son cœur prend de l'expansion, ses bras s'ouvrent et son corps respire la confiance. Au bout d'un moment, elle prononce ces mots illuminés par son sourire émerveillé :

— Je serais comme ces sages-femmes pour qui il n'y a pas de problèmes parce que tout est bienvenu, tout est inclus.

En explorant en détail cette révélation, on découvre que cet animal indésirable incarne pour Joséphine l'amour inconditionnel. Il personnifie autant la joie spontanée de suivre ses propres élans que la simplicité d'accueillir les gens tels qu'ils sont. Il représente son besoin des autres également. Wouf ! Wouf ! Woupi ! Passer de la gaucherie de son homme à la pure joie canine, quelle progression inattendue !

Par contre, vous n'êtes pas obligés d'attendre que des incidents imprévisibles ou indésirables vous tombent dessus pour vous ouvrir à de nouveaux horizons. Les rituels que je vous propose sont là pour parsemer votre quotidien d'éléments et de gestes inattendus et poétiques. Cocasses et imagés. Naïfs et amoureux. Le Cœur Créateur a besoin de ces failles dans nos routines. De ces entorses au convenu et à la logique. C'est par là qu'il peut se faufiler dans nos vies. Il les injecte alors de mystère, de possibilités surprenantes, de profondeur, de sensibilité, de vie et de joie pure.

Voilà pourquoi j'inclus des gestes déconcertants et des moments de fantaisie créatrice dans mes rencontres. Je peux aussi bien me coucher sur le dos et, sur une musique touchante, faire danser les cœurs que j'ai dessinés sous mes pieds. Chanter un blues ou une berceuse à un de mes participants. En inviter un à improviser avec moi un rap sur ce qu'il vit. Offrir une chandelle d'anniversaire à un autre pour souligner le mouvement qu'il laisse naître en lui. Ou répondre à la porte avec mes pantoufles ornées de petits monstres cornus. Je suis aussi étonnée qu'eux par les effets inattendus, réjouissants, profonds et libérateurs de ces gestes non orthodoxes, mais pleins de sens. C'est qu'ils nous connectent dans l'instant au flot *créacœur* et tissent entre nous des liens significatifs transformateurs.

En résumé, portés par vos intentions de fond, restez ouverts à découvrir des possibilités inespérées dans les endroits les plus improbables. Provoquez-les même si vous vous sentez braves.

À votre tour maintenant de danser avec le Cœur Créateur en découvrant ses mots doux et ses invitations créatrices dans tout ce qui se passe dans vos vies !

L'INVITATION

Découvrez les mouvements inédits du Cœur Créateur

dans tout ce qui vous fait réagir

LA RÈGLE D'IMPROVISATION

Devenez fluides et enjoués pour suivre
les invitations de l'imprévu

L'ESSENTIEL

À chaque instant, le Cœur Créateur tente d'entrer en contact avec vous.

Il place des mots doux et des invitations créatrices dans tout ce qui vous fait réagir positivement ou négativement.

Pour découvrir ces filons inespérés, vous devez recevoir l'imprévu comme un cadeau et offrir comme un don le mouvement unique et essentiel qui en découle pour vous.

Vous pourrez alors libérer votre flot *créacœur* en embrassant et en libérant ce que ces éléments imprévus soulèvent en vous.

Il vous restera ensuite à le faire circuler en interagissant avec votre milieu à partir de votre flot libéré.

Vous deviendrez fluides, enjoués, curieux.

Tout ce qui se présente à vous se transformera en allié dans une création amoureuse qui répond à vos vœux les plus chers.

L'ART DE DÉCOUVRIR DES MOUVEMENTS INÉDITS À PARTIR DE TOUT ET DE RIEN

Pratiques hors champ

1- Pour capter les mouvements du Cœur Créateur dans ce qui vous fait réagir

Comme le musicien qui parcourt sa partition avant de jouer, lisez entièrement cette pratique avant de la faire.

Chaque élément de notre vie est une porte d'entrée pour les mouvements inédits du Cœur Créateur. C'est pourquoi je me fais toujours une joie de revisiter la journée précédente en portant attention aux incidents et aux interactions qui m'ont marquée. Un bout de phrase qui m'a fait réagir. Un événement qui m'a troublée, étonnée ou réjouie. Une personne qui m'a fait rêver ou envie. Un malaise ou une interaction qui m'a déstabilisée. Un obstacle qui m'a frustrée.

Je m'ouvre ensuite pour découvrir du bon, du beau et du nouveau à partir de ces incidents. À tout coup, ils me permettent de libérer un mouvement de vie et de dénicher une avenue inespérée face à la difficulté ou au projet qui me tient à cœur.

Vos intentions et vos attitudes *créacœur* vous serviront encore de boussoles pour capter à votre tour les manifestations du Cœur Créateur dans ce qui se présente à vous.

Saisissez chaque occasion de danser avec l'imprévu. N'oubliez pas que le Cœur Créateur vous envoie des pistes autant dans ce qui vous attire que dans ce qui vous heurte. Restez donc ouverts et curieux devant ce qui vous émeut, vous anime, vous inspire, vous frustre, vous dérange ou vous blesse. Vous aurez ensuite à embrasser et libérer ce qui est rejeté, touché, allumé, nourri ou entravé en vous par les personnes ou les situations qui ont un tel effet sur vous.

Choisissez d'abord une rencontre qui vous reste sur le cœur ou à l'esprit. Ou encore, un incident qui vous titille, un obstacle qui vous turlupine. Soyez prêts à recevoir de cet élément le mouvement ou l'inspiration qui vous rapprochera du Cœur Créateur et de vos vœux.

Dites :

— *Bienvenue, ô rencontre mystérieuse. Libère mon flot de vie et fait germer dans ma vie des connexions créatrices et amoureuses inattendues.*

Préparez ensuite votre corps vibrato à danser avec le Cœur Créateur. Pour aligner votre attention et vos pas sur ses mouvements, trouvez une musique qui évoque pour vous l'abandon et la fluidité. Inventez ensuite un geste ou une mini chorégraphie pour vous signifier que le moment est venu de détendre votre rationnel crispé.

Faites jouer votre musique et exécutez votre chorégraphie. Gardez-les en mémoire, car vous pourrez les répéter au moment d'entrer dans cette danse.

C'est maintenant le temps d'adopter l'attitude de découverte amoureuse propice à toute aventure créatrice. Pour lâcher votre besoin de contrôler et déjouer votre mental trop cartésien, faites quelques ôôôh bien sentis, suivis d'une de ces interrogations :

— *Ôôôh, Julie, Louis ou Job ne m'a pas rappelé ! Je me demande ce qui m'appelle de bon et d'inédit à travers cette absence...*

— *Ôôôh, je n'ai pas obtenu la réponse ou le résultat que je désirais ! Je me demande comment cette déception est une réponse mystérieuse à ce qui me tient à cœur...*

— Ôôôh, ce projet ne tourne pas comme je pensais ! Je me demande quel filon inespéré est enroulé comme un serpentin dans cet imprévu…

— Ôôôh, j'ai été touché et réjoui par le geste de Paul ou de France ! Je me demande quel désir ou quel besoin ça rejoint en moi, et qui fera naître mon prochain pas…

— Ôôôh, je me suis sentie tellement vibrante et inspirée quand j'ai parlé à telle personne ! Je me demande quel élan je dois accueillir pour que ces étincelles se multiplient et tracent un chemin lumineux vers ce qui me tient à cœur ?

Acceptez et embrassez ce qui monte en vous. Sans rien forcer, laissez-le vous révéler son contenu : émotions, images, mots, mouvements.

Peut-être une des questions suivantes vous inspirera-t-elle davantage :

— Quel mouvement original et bienfaisant pour tous cherche à naître dans mon contact avec cet élément de ma vie ou de mon entourage ?

— Qu'est-ce qui pourrait émerger de bon et de nouveau si cette personne, cette situation ou cette circonstance était exactement comme je la désire ?

— Qu'est-ce que je pourrais être, sentir, vivre ou exprimer de bon si ce problème ou ce blocage n'était plus là ?

Une fois votre question posée, restez présents à ce qui surgit au fur et à mesure. Suivez ce qui vous ouvre, vous anime, vous libère, vous fait respirer, vous apaise ou vous allège. Même si ça ne correspond pas à ce que vous auriez imaginé ou voulu, c'est le signe que vous êtes sur la bonne piste.

Le mouvement qui libère votre flot de manière inattendue se manifestera, graduellement ou dans un éclair, sous forme d'impulsions ou d'appels. Vous aurez alors la sensation de devoir répondre à une impulsion qui demande à voir le jour. Qui a besoin de votre présence pour le faire. Abandonnez-vous à elle et suivez-la.

Ça peut être une nouvelle manière d'être ou d'interagir. Un goût de faire quelque chose d'inattendu ou d'exprimer un besoin, un sentiment, une inspiration, une limite. Entrez ensuite dans votre peau neuve en incarnant ou en exprimant ce nouvel état face à la situation initiale.

Une autre façon de découvrir le mouvement vibrant caché dans cet élément dérangeant, réjouissant ou intrigant, c'est de vous identifier à son essence. Vous vous rappelez la personne frustrée par la lenteur excessive d'un chauffeur de taxi ? Je l'ai invitée à entrer dans la peau de ce lambineux pour adopter son rythme. C'est là qu'elle a découvert une part d'elle-même plus lente et sensuelle que celles auxquelles elle s'identifiait habituellement. Une fois réconciliée avec cet aspect marginalisé, elle a eu une surprise. Enfin ! elle pouvait se déposer dans l'instant et goûter à la vie. Elle n'aurait jamais pu imaginer que cet état qu'elle recherchait tant lui viendrait par l'entremise d'un chauffeur de taxi trop lent à son goût.

De la même manière, pour aider Joséphine à ressentir le mouvement *créacœur* contenu dans son interaction avec le chien de son amoureux, je lui ai suggéré de le voir comme un envoyé spécial du Cœur Créateur ou du Dalaï-Lama (une de ses idoles). Je l'ai ensuite invitée à se mettre dans sa peau (celle du chien bien sûr !) pour sentir son essence et ce qu'elle faisait naître chez elle. Wouf ! Wouf ! Woupi !

Incarnez à votre tour cette nouvelle qualité de votre *pressence* afin qu'elle devienne un point de repère pour vous et une inspiration pour votre entourage.

2- Célébrez et remerciez cette nouvelle vie dans votre vie !

Une fois que vous aurez reçu une illumination ou vécu une libération, faites jouer une musique festive et allumez une chandelle d'anniversaire. Mettez-la sur un muffin et remerciez les éléments ou les rencontres qui vous ont éclairés. Dansez en chantant :

— *Merci de m'avoir inspiré et allumé ! Je suis prêt à recevoir d'autres élans créacœur à partir des endroits les plus farfelus, obtus, cornus ou déchus.*

Comme il faut faire circuler le flot *créacœur* et le redonner à la Nature, allez éparpiller les miettes de votre muffin dehors. Là où les oiseaux et les écureuils pourront s'en régaler. Offrez un autre muffin, agrémenté de sa chandelle, à une personne de votre entourage pour célébrer sa présence dans votre vie.

Répétez sans retenue ce rituel fécond.

Pratiques sur le champ

1- Invitez tout et tous dans la danse du Cœur Créateur

Que diriez-vous d'écrire *Bienvenue* dans une de vos mains ? Tant qu'à y être, écrivez donc dans l'autre, les mots *dans la danse*. Vous voilà dotés de mains miraculeuses. Imaginez que vous pouvez toucher avec vos mains tous les endroits qui sont paralysés dans votre vie ou dans votre corps pour les remettre en mouvement. En accord avec les rythmes du Cœur Créateur, bien sûr !

Touchez, par exemple, l'endroit dans votre corps vibrato où vous sentez un malaise ou un bien-être pour les inviter à vous donner de nouvelles pistes. Ou alors posez vos mains sur le projet qui vous préoccupe pour recevoir les inspirations qu'il contient. Ou encore mettez vos mains sur votre cœur quand vous affrontez une difficulté ou un adversaire pour l'inclure dans la danse avec le Cœur Créateur. Vous pouvez aussi lever la main pour montrer votre mot de *Bienvenue* à ceux que vous rencontrez ou l'utiliser pour leur serrer la pince.

Incroyable ce qu'on peut faire avec de simples mains, n'est-ce pas ?

2- Faites une cure de *ôôôh* et de *merci*

Faites une cure de *ôôôh* et de *merci* chaque fois que vous vous éloignez dangereusement de vous-mêmes. Que vous êtes momifiés par votre trop grand sérieux. Calcifiés par vos certitudes. Que vous rejetez l'imprévu. Ou que vous résistez à ce qui vous arrive.

Merci, pour vous ouvrir à ce qui se passe maintenant, vu que le Cœur Créateur s'en sert pour répondre à ce qui vous tient à cœur. *Ôôôh* ?! avec un *glissando* moitié étonné moitié émerveillé, pour être réceptifs à ce qui cherche à naître de nouveau.

Pendant la journée, aspergez ceux que vous rencontrez et ce que vous vivez de confettis imaginaires en disant intérieurement :

— *Ôôôh !? Je me demande ce qui va naître de beau, de bon, de nouveau par l'entremise de cette situation…*

— *Mmm ! Merci à ce qui sera aimé et libéré en présence de cette rencontre, de ce projet.*

— *Ôôôh ? Quel mariage imprévu et farfelu peut bien se préparer ici ?*

— *Mmm ! Merci pour les mots doux et les étincelles d'inspiration cachés dans cette rencontre.*

Vous pouvez aussi débuter votre journée en répandant quelques confettis, réels cette fois, sur le seuil de votre chambre à coucher. Profitez-en pour remercier d'avance le Cœur Créateur de ce qu'il va vous envoyer pour créer et aimer :

— *Merci pour toutes les inspirations créatrices et amoureuses qui vont me traverser aujourd'hui, pour la plus grande joie de tous.*

— *Merci pour les occasions d'aimer et de créer qui me seront offertes aujourd'hui sous toutes sortes de formes imprévues.*

Profitez-en pour donner des étoiles à ceux qui vous inspirent, vous touchent et vous réjouissent. Vous aiguiserez ainsi vos sens et votre attention pour saisir au vol les possibilités amoureuses et créatrices contenues dans vos rencontres.

3- Une journée pour danser avec l'imprévu

Choisissez un problème qui vous préoccupe. Considérez tout ce qui vous marque ou vous atteints dans la journée comme porteur d'une piste inespérée. Imaginez que celle-ci répond à vos aspirations en vous faisant danser en accord avec le Cœur Créateur. Une fois chez vous, faites la première pratique hors champ pour capter les mouvements *créacœur* qui y sont cachés. Observez comment ceux-ci vous animent et vous éclairent d'une manière inattendue.

Cinquième
mouvement

Apprivoisez l'inconnu
pour accoucher sans contractions

*ou comment faire des mariages inespérés avec
des partenaires impossibles*

≈

L'invitation, la règle d'improvisation, l'essentiel

≈

L'art des questions *créacœur*

« Il y a ce que l'on connaît, qui est étroit. Il y a ce que l'on sent, qui est infini. Ce que l'on connaît flotte au-dessus de ce que l'on sent, comme une bête morte dessus les eaux profondes. »

Christian Bobin, *Souveraineté du vide. Lettres d'or*

« Une vision n'est jamais une réponse, mais toujours une quetion qui déclenche une quête vers l'épanouissement des participants. »

Harrison Owen, *The Spirit Of Leadership*

« Être dans la Résurrection, c'est s'identifier à l'acte de vivre dans sa continuité créatrice d'instant en instant. La Résurrection se passe maintenant et elle est toujours en mouvement. »

Béatrice Bruteau, *The Grand Option*

« C'est pourquoi nous enseignons la confiance, le soutien et l'amour ultime de l'autre. Ce n'est pas parce qu'on veut faire de vous de meilleures personnes (même si ça vient avec le territoire). C'est que c'est ainsi que le travail va être une vraie réussite. »

Charna Halpern, *Art By Committee*

Abandonnez-vous pour faire les yeux doux à l'inconnu

Malgré tout ce que vous avez appris, vous êtes dans le noir, vous vous sentez déroutés, délaissés par la vie. Vos obstacles ont sept vies, une douzaine de bras et une myriade de visages. C'est l'impasse. Vous avez le goût de baisser pavillon. À quoi bon !

L'avez-vous déjà oublié ? Une réponse à votre vœu le plus cher vous attend au prochain tournant. Ah oui ? Eh oui ! Lorsque vous arrivez au bout de vos ressources, vous êtes à la lisière d'un monde tout frais, tout neuf, à portée du cœur. À quelques pas seulement de l'univers des possibilités inespérées du Cœur Créateur.

Pour y accéder, n'hésitez pas à faire une petite pause créatrice et amoureuse. Déboutonnez doucement votre cœur, déliez votre esprit, dénouez votre corps et décrispez votre respiration. Ancrez-vous ensuite solidement dans votre intention coureuse de fond en vous ouvrant avec bienveillance à votre réalité présente et à ce qu'elle touche en vous. Aussi sombre soit-elle… Vous êtes maintenant prêts à accueillir l'inédit en faisant les yeux doux à l'inconnu comme je vous l'enseigne ici. Vous recevrez alors du bon, du beau et du nouveau à partir de ce que vous vivez maintenant. D'une manière qui dépasse complètement ce que vous auriez pu imaginer ou souhaiter.

Un exemple ? À une époque de ma vie, je sentais le besoin d'être appréciée dans mon rôle de mère-monoparentale-héroïque-ayant-sur-vécu-aux-assauts-répétés-de-son-petit-tocson-adoré-et-amené-avec-brio-ledit-tocson-sur-le-doux-chemin-du-bonheur. Je savais d'expérience que ce désir ne serait pas comblé par la personne souhaitée. Pas question de me morfondre à attendre en ligne que cet envoyé-spécial-des-dieux-de-la-transformation-obligée recouvre comme par enchantement la parole du cœur pour y répondre ! J'ai donc préféré m'ouvrir à tout ce que cette situation et ce besoin soulevaient chez moi. J'ai en même temps lâché prise sur qui pourrait le combler, à quelle heure et de quelle manière. Et voilà que quelques mois plus tard mon fils se retrouve dans une populaire émission de télévision. Croyez-moi, croyez-moi pas, à brûle-pourpoint il me rend alors hommage comme mère devant des millions de téléspectateurs. Impossible d'être plus renversée et touchée que moi à ce moment-là ! J'aurais difficilement pu m'imaginer et faire arriver par moi-même ce tour de passe-passe qui m'a comblée en masse, n'est-ce pas ?

Maintenant qu'on sait ce qu'on sait, ce n'était pas si étonnant que ça. Mon lâcher-prise et ma réceptivité avaient ouvert la porte en douce aux concoctions généreuses de DJ Allegro et à ses inventions sidérantes. Permettez-moi de vous rafraîchir la mémoire un tantinet par rapport à cet abandon si bénéfique. Comme vous l'avez vu au chapitre 2, impossible de le provoquer par votre seule volonté. Il passe par l'acceptation de votre impuissance à contrôler la vie, les autres… et votre abandon ! Une occasion en or pour votre mental isoloir, ou votre ego, de mordre la poussière en beauté. Vous verrez plus loin comment cet abandon est vital pour recevoir des réponses aux questions *créacœur* qui vous sortiront de vos impasses.

Doutez-vous encore des bienfaits d'un tel lâcher-prise ? Oui ? Laissez-moi vous présenter Axel. Ce producteur de cinéma, aussi acharné qu'un boxeur sur le ring, est passé en une heure du désir de mourir (il se voyait déjà dans sa tombe) à la confiance en une vie nouvelle (il voyait apparaître avec bonheur un chemin lumineux devant lui). Comment a-t-il effectué cet heureux passage ? En acceptant d'abord qu'il ne pouvait pas contrôler la situation injuste qu'il vivait. Grrrr… En embrassant ensuite avec compassion son expérience présente et son besoin de soutien. Pour le faire sourire, je n'ai pas pu m'empêcher de l'inviter à faire une accolade virtuelle aux affreux méchants qui avaient contribué par leur favoritisme à cet abandon si fécond. Sachez toutefois qu'avant de lâcher prise, Axel, pour qui tout contretemps prenait des allures d'attaque mondiale personnalisée, a dû rencontrer la hargne de ses durs à cuir intérieurs. Ceux-ci lui faisaient beaucoup plus de mal que ses adversaires extérieurs. Ils auraient aimé mieux le voir mourir plutôt que de rendre les armes !

Une fois que vous vous serez abandonnés et ouverts comme Axel, vous serez disposés à faire les yeux doux à l'inconnu pour l'apprivoiser.

Les grandes idées viennent à nous doucement, comme des colombes. Ce n'est pas moi qui vous le dis, c'est Albert Camus. Pour capter le battement de leurs ailes, vous devez développer une attention particulière. L'attention propre aux yeux doux. Grâce à elle, vous pouvez contempler avec un regard détendu, curieux et réceptif, la toile de votre expérience présente. Vous êtes ainsi en mesure de laisser jaillir, de sa globalité, les battements d'ailes de vos élans et de vos inspirations salutaires.

La bonne nouvelle, c'est que, sans le savoir, vous avez déjà fait les yeux doux à l'inconnu. En portant intérêt à votre échec *créacœur* pour découvrir le trésor qu'il contient. En sortant vos antennes pour saisir la vérité vibrante. En dansant avec l'imprévu. En musclant votre intention coureuse de fond pour rester disponibles à ce qui flirte avec votre attention. En fait, toutes les pratiques de ce livre vous aident à maîtriser ce type d'attention qui est aussi une qualité de présence. C'est votre télescope pour découvrir les étoiles du bon, du beau et du nouveau dans le ciel de votre réalité présente. Vous en aurez donc besoin tout au long de ce voyage. Voilà pourquoi il est grandement temps que je fasse les présentations plus en détails.

Cette attention particulière est à la fois abandonnée et curieuse, amoureuse et créatrice, ouverte et centrée. *Abandonnée*, parce qu'elle se dépose dans le moment sans s'agripper au résultat. *Curieuse*, dans le sens de prête à découvrir et à suivre, d'instant en instant, la moindre trace de vie nouvelle. *Amoureuse*, puisqu'elle inclut et embrasse tout. *Créatrice*, vu qu'elle capte les possibilités inédites cachées dans ce qu'elle rencontre. *Ouverte* à tout ce qui l'entoure. *Centrée* dans la vérité du corps vibrato. Toute cette vie luxuriante contenue dans une simple façon de porter attention ! Je ne sais pas pour vous mais, pour moi, ça donne le goût de s'y atteler sans tarder.

Avez-vous remarqué comment l'attention propre aux yeux doux chevauche les trois mouvements de l'état de grâce ? Non ? Alors, je vous en refais une description abrégée en la mariant à ces trois grâces.

Elle n'est pas agrippée au résultat, prête à suivre la moindre trace de vie nouvelle à partir de tout ce qu'elle rencontre : *découvrir la voie au fur et à mesure*. Curieuse de ce qui va naître de ce contact, elle se dépose dans la vérité présente du corps vibrato : *s'absorber dans la réalité de l'instant*. Ouverte à évoluer en accord avec l'entourage, elle inclut et embrasse tout : *se relier amoureusement à ce qui nous habite et nous entoure*.

Des questions *créacœur* pour faire des mariages inespérés

Vous voilà familiarisés avec la sorte d'abandon et d'attention propre aux yeux doux. Pour recevoir des révélations qui débordent les frontières de vos performances en circuit fermé, vous devez maintenant maîtriser l'art des questions *créacœur*.

Les questions *créacœur* font le pont entre ce que vous vivez, rencontrez et désirez. Elles jouent à saute-mouton entre ces trois éléments pour orchestrer des mariages audacieux, fertiles et bienheureux. Ces alliances répondent à vos aspirations en contribuant à la plénitude de votre milieu ambiant. La source de la richesse et de l'inventivité de ces joyeuses entremetteuses ? Elles incluent toujours l'épanouissement de votre entourage, vos adversaires itou. C'est ça qui crée l'ouverture de cœur, de corps et d'esprit nécessaire pour rejoindre l'univers du Cœur Créateur.

N'allez pas croire que vous pourrez répondre à ces questions par vos moyens actuels. Ces belles ingénieuses, voyez-vous, ratissent un territoire qui dépasse en largeur et en profondeur nos limites et nos ressources habituelles. Voilà pourquoi le simple fait de se les poser est transformateur en soi. Elles nous font lâcher prise sur nos attentes et nos contrôles. Nous extirpent de la bulle fermée du mental étriqué. Nous ouvrent amoureusement à ce qui nous entoure. Enfin, elles nous relient aux possibilités insoupçonnées qui cherchent à naître à travers nous. Pas mal, n'est-ce pas ?

Nul besoin de vous casser la tête par contre. Les réponses à ces ouvreuses d'horizon vous viendront au fur et à mesure que vous avancerez dans l'inconnu. Elles surgiront du cœur de vous et de votre entourage. Lorsque vous vous les poserez, ces questions vous intrigueront et vous donneront même le tournis. Les résoudre vous semblera souvent farfelu ou improbable. La merveille, c'est que le seul fait de les formuler libérera votre flot *créacœur* et vous donnera des ailes. Dès cet instant, elles se mettront à s'activer pour vous comme des abeilles dans une ruche. Elles allumeront les antennes de votre intuition. Elles éveilleront, en vous et autour de vous, des ressources inattendues. Elles aimanteront, dans un tout cohérent, fascinant et parfois cocasse, les situations et les éléments qui contiennent des clés pour réaliser vos aspirations profondes. Vous pourrez alors récolter et savourer le miel caché dans les alvéoles de vos expériences et de vos rencontres.

La pratique des questions *créacœur* obéit à deux règles essentielles de l'improvisation. La première : s'absorber dans la réalité de l'instant pour laisser émerger ses élans créateurs. La deuxième : utiliser tout ce qui survient, y compris les erreurs ou les difficultés présentées par ses coéquipiers, pour alimenter l'improvisation en cours. Autrement dit, embrasser et métisser ce qu'on vit, désire et rencontre maintenant pour en faire surgir du beau, du bon et du nouveau pour tous.

Pour vous aider dans cet art des questions *créacœur*, recevez l'inconnu et les interrogations qu'il suscite comme un présent. Offrez ensuite comme un don les inspirations et les élans qu'il fait naître en vous.

Grâce à ces belles complices, vous aurez des intuitions qui contribuent au plus grand bien de tous. Vous transmettrez les accords vibrants et harmonieux du DJ Allegro. Les détails de vos vies deviendront des fenêtres ouvrant sur ses éclairs de génie, ses averses de bonté et ses connexions fascinantes.

On est partis pour la gloire, ma foi ! Je vous ramène illico sur le plancher... de danse. C'est qu'il y a des conditions préalables à tous ces beaux exploits. Vous êtes tenus de vous ouvrir. De vous donner généreusement à ce qui se passe en vous et autour de vous. En même temps, vous devez accepter d'être surpris à chaque tournant. Sans vous prendre au sérieux ou vous accrocher les pieds dans les fleurs du tapis. Quelle désaccoutumance libératrice ! Au contraire, vous refermer sur vous-mêmes comme une huître, vous gonfler de votre importance comme la grenouille célèbre, ou vous accrocher à vos idées préconçues comme le chat à sa souris, nourrit les crampes, les peurs, les complications, les compétitions et les jugements de l'ego. Heureusement, votre collaboration avec le Cœur Créateur vous facilite la tâche. Il a de l'humour à revendre. La tête désenflée au max. Plus d'un tour dans son sac. Le cœur vaste et aussi léger qu'un pinson.

Ma première coopération improvisée avec lui a d'ailleurs débuté par une question *créacœur*. Celle-ci est née d'un ennui qui croissait à une vitesse dangereuse dans mes interactions avec mes participants. Pour qu'elle m'accorde sa réponse intégrale, longtemps je lui ai fait les yeux doux, suspendue à ses lèvres. En lisant les étapes que j'ai traversées pour la recevoir, portez attention aux moments où j'ai fait les trois sauts, les deux choix et la respiration interactive qui ont fait de moi un canal pour les possibilités avant-gardistes du Cœur Créateur.

Afin de découvrir la question *créacœur* qui allait m'en sortir, il me fallait d'abord embrasser mon ennui — ma réalité présente — en l'abordant comme un allié, une source de sagesse même. Inutile de vouloir le nier, le contrôler ou le réprimer comme un défaut de fabrication. Vu que le Cœur Créateur s'exprime à travers tout et tous, ce vague à l'âme contenait sûrement un trésor aussi inattendu qu'inestimable. J'ai donc interagi avec lui de la même manière que je l'aurais fait avec une personne qui m'est chère. Comme pour la déprime de Joséphine au chapitre 1, cet ennui m'a alors permis d'entrer en contact avec les courants profonds de mes vœux les plus chers.

Cette étape est cruciale puisque nos intuitions et nos mouvements *créacœur* naissent de la réceptivité à ce qui est là maintenant. Être en lutte contre le malaise, la personne ou le problème qui nous fait obstacle, c'est donc être en lutte contre ce qui nous tient à cœur. Mon Dieu, qu'on peut être dupes de soi, des fois !

Il me restait ensuite à tirer les vers du nez à cet ennui ténébreux. Pour qu'il me révèle son secret, je lui ai déroulé le tapis rouge de ma plus belle attention, lui ai ouvert les bras de mon cœur et l'ai enveloppé de curiosité : *ennui, ô bel ennui, que fais-tu là dans ma vie ? Peux-tu me dire ce qui m'éteint dans mes relations avec mes participants ?* J'ai attendu, en acceptant d'être touchée, transformée, déconcertée ou même brassée par ce qui allait venir. J'ai patienté jusqu'à ce qu'il veuille bien m'offrir la perle qu'il gardait en réserve pour moi.

Bien sûr, mon mental isoloir a profité de ce face-à-face avec l'inconnu pour égrener son chapelet de litanies préférées : « Voyons, tu sais bien que rien de bon ne va sortir de là… Si tu veux mon avis, tu perds ton temps… Bon, elle parle à son ennui maintenant… Je vais t'en faire un horizon, moi… »

En dépit de ses rengaines, mon attente ne fut pas vaine. Loin de là ! En fait, ce spleen me faisait lorgner avec nostalgie du côté de la création où j'avais connu des moments si captivants. Il m'a bientôt fait savoir que je me languissais de la liberté d'expression, de la réciprocité instantanée et de l'abandon que je vivais alors. Il m'a révélé ensuite que mon désir d'interactions créatrices, authentiques et mutuelles en avait assez d'attendre sagement la permission d'un bonze impénétrable pour sortir du placard.

Des questions *créacœur* qui font de *tout* et de *tous* nos alliés

Voilà ! Mon ennui si désolant venait de se transformer en doux désir. Une fois sorti de l'ombre, ce désir – ou ce nouvel élan – devenait la réalité toute fraîche avec laquelle interagir. Je devais maintenant trouver une question *créacœur* qui marierait avec bonheur ce désir à mon obstacle. Une question qui ferait naître des possibilités inespérées en réponse à mon nouvel élan. Elle m'est apparue sur les chapeaux de roues avec, à sa suite, plusieurs points d'interrogation se bousculant à la porte de ma conscience. On aurait dit des enfants impatients d'aller jouer dehors. M'avouer mon vœu avait ouvert la voie à cette cohue d'énigmes intrigantes. *Qu'est-ce qui me permettra de me sentir aussi captivée, inspirée, amoureuse et libre, en présence de ceux que j'aide, que dans mes plus beaux moments de création ? Comment répondre à ma soif de fluidité et d'expression à l'instant même où je cherche à aider des gens qui souffrent ? Comment improviser des rencontres fidèles à mes aspirations profondes en y incorporant leurs désespoirs et leurs angoisses pour le plus grand bien de tous ? Et si ce désir était le phare qui allait tous nous conduire à bon port ?*

M'ouvrir ainsi à la mutualité et à la co-création transgressait encore une fois ce que j'avais appris sur mon rôle de guide. Comment oser vouloir que les blocages ou les difficultés de mes participants contribuent à ce qui me tient à cœur ? Quel égocentrisme, quelle hérésie, quelle preuve d'irresponsabilité ! Pour tout dire, ce désir me faisait peur. Il avait un goût de péché mortel et une odeur de chair brûlée sur le bûcher des Interdits. Étais-je en train de vouloir utiliser mes protégés à des fins douteuses ?

Comme une troupe de témoins de Jéhovah, ces réticences et ces doutes me harcelaient pour me ramener dans le droit chemin. Peine perdue. L'appel de ce désir et de ces questions était trop fort. Je ne pouvais pas plus y résister qu'à un premier baiser après un flirt prolongé.

Pour inviter ces questions à me révéler leur réponse, je devais les traiter avec tous les égards que mérite le messager d'une heureuse nouvelle ou d'un télégramme chantant venu tout droit du cosmos ! Même si elles me semblaient utopiques ou menaçantes, dès que je les ai adoptées, elles ont été prodigieusement transformatrices et créatrices. Autant pour mon monde que pour moi.

Dans les faits, au lieu de me centrer sur moi comme je le craignais, ces questions ont supprimé tout fossé ou barrage pour improviser entre nous un pont d'inspirations libératrices et d'élans vibrants. Elles m'ont ainsi rendue plus ingénieuse, présente et vivante. Plus proche et amoureuse de mes gens aussi. Grâce à elles, DJ Allegro venait d'entrer en catimini sur la scène de mes rencontres avec mes participants.

J'étais loin de me douter à ce moment-là qu'en réalité je les invitais à co-créer avec lui. À plonger dans son monde, où chacun se libère et s'épanouit d'une manière exponentielle en participant aux liens créateurs et amoureux qui l'unissent aux autres d'instant en instant.

Si vous relisez bien mes questions, vous verrez que chacune porte en elle l'intention de coopérer à la plénitude et à la réalisation de ceux que j'accompagne. J'ai incorporé dans ma quête leurs vœux les plus chers, même s'ils personnifiaient à ce moment-là des obstacles à mon désir d'interagir à mon goût. Ce faisant, j'ouvrais le canal de la respiration des relations. Comme on le sait, ce souffle réciproque et rassembleur véhicule les révélations et les harmonies du Cœur Créateur.

Cette respiration, qui obéit aux règles de l'improvisation, va dans les deux sens bien sûr : on inspire et on expire, c'est-à-dire on reçoit et on offre. Je devais donc être prête à recevoir en direct, de mes interactions, le soutien, les défis et les réponses nécessaires à la réalisation de mon aspiration.

Plus facile à dire qu'à faire. Même si on a tous besoin les uns des autres pour libérer sa *pressence*, on résiste à cette évidence comme le diable dans l'eau bénite. Pourquoi ? Parce que se laisser toucher et transformer dans l'instant par ce que l'autre nous présente, demande une ouverture et un abandon qui détrônent nos vieilles identités. Adieu autosuffisance, supériorité et contrôle chimériques ! Bye, bye mental isoloir !

Pourtant, sans cette disponibilité du cœur ouvert et ce saut tête baissée dans l'inconnu, l'improvisation prend le champ, la respiration des relations est entravée et le Cœur Créateur est écarté du jeu. Finis la musique et les rythmes prenants de DJ Allegro !

Imaginez une improvisation où chacun, à tour de rôle, se retranche dans son coin pour contrôler sa prochaine réponse. S'assurer qu'elle est parfaite avant de revenir dans le jeu. Une fois que le tempo vivant et organique des échanges est brisé, plus de danse commune possible, plus de *groove* à l'horizon. Jouer sans filtres et sans coupures crée des connexions aussi imprévues que cohérentes. C'est ce qui rend l'aventure si captivante.

Par chance, s'ancrer avec compassion dans la réalité et la vérité présentes donne la confiance nécessaire pour entrer dans cette cadence fluide de la respiration des relations. Dès lors, le Cœur Créateur tisse des liens vivifiants et inspirants à partir de ce que chacun vit et rencontre dans l'immédiat.

Pas surprenant alors que la première réponse à mon vœu d'interactions nouvelle vague soit venue d'une de mes étudiantes en *focusing*. C'est en m'écoutant décrire aux autres membres du groupe ma manière d'interagir dans ma vie personnelle, que cette première co-créatrice a été prise d'un élan salutaire. Elle m'a spontanément et fortement invitée à entrer en relation avec eux de la même façon. Sans le savoir, elle tendait la main à mon désir. À ma grande surprise, tout le groupe lui a emboîté le pas comme un seul homme.

C'est grâce à cette demande imprévue que le Cœur Créateur est entré dans ma vie professionnelle pour amorcer une collaboration qui dure toujours… ils se marièrent et ils eurent beaucoup d'enfants qui grandirent en force et en sagesse… Comme Christopher Bache dans *The Living Classroom*, je pourrais dire : « … *c'est devenu clair pour moi qu'il y avait une connexion invisible entre la simultanéité de ma découverte et l'apparition de cet étudiant cherchant ce savoir spécifique. Une intelligence plus vaste semblait s'exprimer dans ce jeu synergique des circonstances.* »

Pendant des années, j'ai été habitée par ces questions *créacœur*. Portée par l'intention d'improviser des interactions authentiques, axées sur la découverte et la libération mutuelles. Rencontre après rencontre, j'ai fait les yeux doux à l'inconnu en considérant chacune d'elles comme une alliée essentielle à la réalisation de mon vœu. J'ai aussi abordé les obstacles que je frappais comme autant d'invitations à faire tomber mes barrières intérieures et à devenir un portail pour le flot du Cœur Créateur.

Cette vision des choses a donné le feu vert à mon énergie créatrice et m'a dotée d'un compas intuitif inestimable. J'ai alors reçu une manne de révélations. Autant de mes participants que de mon for intérieur et des situations qu'on vivait ensemble. Cette synergie — avec DJ Allegro comme directeur artistique — a produit un fruit aussi inattendu qu'espéré : les *Improrelations*.

Une préparation aux mariages heureux

Pour vous préparer aux pratiques qui suivent, revenons à notre chère Joséphine et à son souhait de retrouver, dans les autres sphères de sa vie, l'état de grâce qu'elle a connu en montagne. Comment doit-elle s'interroger pour faire les yeux doux à ce qu'elle vit avec son amoureux ? Quelles questions *créacœur* peut-elle se poser pour que cette situation lui apporte une réponse qui va dans le sens de son vœu ? Si vous voulez en découvrir une, retournez à la fin du chapitre précédent. Vous verrez que, dans l'exemple canin où je la cite, je lui ai posé une question *créacœur* sans la nommer comme telle… Vous l'avez trouvée ? En voici maintenant une autre pour vous réchauffer.

Comme le Cœur Créateur crée et aime à partir de tout, la question qui suit amènera Joséphine à s'ouvrir au lieu de se refermer : *à quoi dois-je m'ouvrir maintenant pour que la gaucherie de mon homme me rapproche de lui et de l'état de grâce que je cherche ?*

Regardez ce qu'une question similaire a fait naître chez Rufus, ce champion du contrôle, aussi musclé que tendu, dont je vous ai déjà parlé. Déconfit, il me confie un beau jour qu'il se sent comme un moins que rien perdu dans le cosmos. Je l'invite alors à aborder ce petit rien démuni, enfermé à l'intérieur de lui, comme recelant un ingrédient crucial à la réalisation de son rêve : passer de son métier de directeur de marketing à celui d'écrivain. Autrement dit, inclure dans sa quête créatrice ce qu'il perçoit comme un obstacle ou un adversaire.

Après avoir discutaillé un moment, il aborde cette part de lui comme si elle contenait un élément précieux pour l'accomplissement de son désir. Il se demande alors : « Qu'est-ce qui peut émerger de bon, pour la réalisation de mon vœu, à travers mon contact bienveillant avec ce petit rien tout nu ? » Après quelques minutes, il s'exclame, étonné et soulagé : « Si je l'accepte, j'aurai moins de pression. Je pourrai oser plus. Ce sera moins grave si je me trompe ». Quoi de mieux pour un créateur en herbe ? À sa grande surprise, ce mariage répété avec ce qu'il désire, ce qui l'habite et ce qu'il croise en chemin lui permettra de donner forme à son rêve.

Comme vous voyez, la question qui allie ainsi notre réalité, notre rêve et notre obstacle, nous propulse au-delà de nos fermetures. Elle nous connecte avec nous-mêmes et avec l'autre — dans le cas de Rufus, l'autre c'est la part de lui qu'il rejette — de manière à nous ouvrir aux généreuses possibilités du Cœur Créateur.

Avec la pratique, vous verrez à quel point ces questions sont précieuses pour vous sortir de vos impasses. Vous parviendrez peu à peu à les utiliser pour danser avec l'imprévu et faire les yeux doux à l'inconnu.

Question de mieux vous faire saisir les rouages de cet art, je les démonte et vous les démontre encore deux fois. Dans le feu de l'action cette fois. Je vous donne un autre exemple personnel — ce processus interne s'explique mieux, et avec plus de détails, vu de l'intérieur — et un second vécu par une artiste. Dans l'un comme dans l'autre, vous reconnaîtrez au passage les trois sauts, les deux choix et la respiration des relations qui nous ont reliées amoureusement et créativement à notre entourage, à nous-mêmes et à notre cher DJ.

C'est la veille d'une conférence où je désire chanter pour transmettre mon propos d'une manière plus expressive, plus imagée. L'organisateur m'appelle pour me dire sur un ton cassant, du haut de son savoir, que je ne devrais pas chanter. Ça ne marchera pas, ça va faire cucul, et bla-bla-bla. Exactement ce dont j'ai besoin avant de sauter à l'eau ! Croyez-moi, croyez-moi pas, c'est réellement ce qu'il me faut. D'abord pour m'ouvrir plus large et m'ancrer plus profond. Ensuite pour découvrir les possibilités heureuses et contagieuses que le Cœur Créateur a placées dans cet inconnu incongru. Rien de mieux que de faire la bise à ses obstacles et ses adversaires pour déployer son cœur et son esprit au maximum !

Comment la sortie impromptue de ce malotru peut-elle contribuer à mon désir ? Eh bien voici : si je l'accueille et embrasse ce qu'elle me fait vivre, elle m'amènera à être encore plus libre et amoureuse en présence de mon auditoire… Et de tous les autres malotrus que je pourrais rencontrer en chemin.

Au préalable, comme les vents soufflent pas mal fort, je dois m'arrimer solidement à mon intention d'aimer et de créer à partir de cet incident. C'est-à-dire, d'épouser et de libérer, pour le bonheur de tous, ce que l'intervention de cet homme fait lever en moi. J'aborde ainsi cet échange épineux comme une réponse à mon désir de chanter pour mieux rejoindre les gens. Ce faisant, j'affranchis et j'accrois mon flot *créacœur*. Je deviens de la sorte un meilleur canal pour le Cœur Créateur.

Est-ce que j'étais d'accord avec la manière d'agir de cet organisateur ? Est-ce que j'ai aimé ce qu'il a fait ? Non, j'étais frustrée et déçue, j'étais même en train de m'éteindre. J'aurais souhaité n'importe quoi sauf ça. Mais, quand vient le temps de faire circuler la respiration des relations, pas une minute à perdre à en vouloir à l'autre ou à lui montrer qu'il est dans le champ ! D'autant plus que ce souffle rassembleur doit voyager entre mon entourage et moi pour que la magie soit au rendez-vous. Que je le veuille ou non, dans ce cas, mon entourage c'est aussi ce trouble-fête ! Je ne dois donc pas me braquer contre lui, même si c'est tentant en titi. Ni contre ce que je vis d'ailleurs.

Alors, comment m'y prendre pour que ces remarques déstabili-santes me fassent faire un pas en direction de mon vœu, tout en contribuant au bonheur de mon interlocuteur ? La réponse, bien sûr, est contenue dans ce que je vis à ce moment-là. Agrippée à mon intention de fond comme à un parachute, je fais donc les yeux doux à ce qui se passe en moi en me demandant : *qu'est-ce que j'ai besoin d'embrasser en moi face à cet échange difficile pour me rapprocher amou-reusement de moi, des autres et de ce qui me tient à cœur ?* Un bain d'amour pour tous, rien de moins !

Je réalise que je dois d'abord accepter la déception et la frustra-tion qui m'habitent. En leur portant attention de plus près, ces réactions me révèlent ce qui me dérange le plus dans ce désaccord : je commence à douter de mon désir de chanter et je crains de faire un flop. Vous ne serez pas surpris d'apprendre que ce doute et cette peur étaient déjà en moi à l'état latent. Je dois donc leur ouvrir la porte de mon cœur. À ce moment-là, tout s'éclaire. C'est la perspective de tra-hir mon désir par peur de me tromper et par manque de confiance qui me déçoit et m'éteint le plus. À moi donc de l'affranchir de ce nuage de doute pour retrouver mon flot *créacœur*.

Pour y arriver, rien de mieux qu'une question *créacœur : comment ce doute et cette peur, déclenchés par mon opposant, peuvent-ils me libérer et contribuer à mon désir ?* Ah ! Ils m'invitent à renforcer mon engage-ment face à mon désir de chanter. Comment ? En choisissant de l'épouser de plus près par amour pour la vie et la joie qu'il éveille en moi (et éventuellement, comme je le souhaite, chez les autres). Oh ! Ils m'incitent aussi à accepter l'éventualité de me tromper ou de me planter. Comment ? En choisissant de m'aimer si ça jamais se produit. Impossible de créer et de découvrir du nouveau si on ne prend pas de risques, n'est-ce pas ?

Me voilà maintenant engagée coûte que coûte envers mon désir, branchée sur l'acceptation de moi quoi qu'il arrive. Me voici donc prête à revenir dans le feu de l'interaction, mais cette fois en amazone libre et amoureuse. Accrochez-vous à vos tuques, j'arrive au galop ! Comme le dit Benjamin Zander, le risque devient une joyeuse aventure lorsqu'on va au-delà de ses capacités habituelles, en acceptant en même temps qu'on peut échouer. Qui aurait crû que l'intervention de cet adversaire inconscient rendrait mon aventure encore plus joyeuse !

Je découpe ici le processus en tranches, mais en réalité, il s'est fait d'un seul souffle. Pendant les quelques minutes où l'organisateur m'a mise en attente pour répondre à un autre appel. Ouf ! Il faut dire que j'ai quelques années de pratique derrière moi. Mon intention ferme de faire du bon, du beau et du nouveau avec tout ce que je rencontre m'a aussi immensément facilité la tâche. Jumelée à ma conviction que je devais m'ancrer dans mon flot et m'ouvrir à l'entourage pour donner ma conférence, cette intention m'a fait faire une culbute providentielle. Si j'étais entrée en guerre, j'aurais bloqué mon flot *créacœur*. Je me serais donc mis des bâtons dans les roues. Grâce à mon engagement et mon abandon, j'ai transformé cet éteignoir potentiel en complice pour accéder à l'état de grâce.

Attendez, ce n'est pas tout ! Ayant grandi en force et en sagesse et devinant que mon vis-à-vis porte sûrement en lui ce doute et cette peur de l'échec qu'il m'a refilés, je reviens vers lui. J'espère lui communiquer l'engagement et l'acceptation qu'il m'a inconsciemment amenée à faire éclore. Je lui dis sans ambages : « Je comprends que vous ayez peur que je me plante, mais je peux vous garantir une chose, si ça se produit je vais le faire avec élégance ! Je vais m'en servir pour rendre ma conférence encore plus enrichissante ». Désarmé, il rit. Maintenant que j'ai fait alliance avec mon désir et ma peur, il se fait lui aussi mon allié. Il s'offre même pour me protéger auprès de son comité d'organisation dont il redoute les réactions.

Le lendemain de ma conférence, je reçois un courriel de sa part : les membres de son comité lui ont fait savoir à quel point ils ont aimé ma présentation. Quel revirement inespéré !

Si je me fie à Zoé — et à d'autres participants qui m'ont raconté leurs exploits *improrelationnels* — cet art des culbutes providentielles face à l'inconnu, à l'impromptu et à l'adversité ne m'est pas réservé. Cette actrice, visant la perfection dans tous les domaines de sa vie, m'a raconté dernièrement comment elle a pratiqué cet art pendant le tournage d'un film. Je vous décortique ici son récit pour les besoins de la cause. À un moment donné, sur le plateau de tournage, elle s'aperçoit que son jeu n'a pas l'air de faire du tout le bonheur de son réalisateur. Affolée, elle se rend à l'évidence : elle ne l'a pas l'affaire, elle n'arrive pas à jouer son personnage de manière convaincante. Au secours ! On s'éloigne dangereusement de toute possibilité de perfection ici. Ses moteurs figent, la paralysie menace de la momifier à perpétuité.

Et voilà que dans sa loge, en pleine perturbation atmosphérique, elle retrouve une à une les bonnes vieilles clés qu'elle a reçues lors de nos rencontres. Ôôôôh ! On est en plein échec *créacœur*. Pour faire une culbute salutaire, on est supposés s'ouvrir ici ; non pas se refermer et s'enfermer dans ses appartements royaux. Sa mémoire en alerte pédale à toute vitesse. Ah oui, on doit ouvrir les bras à ce qu'on vit et à ce qui nous entoure à notre petit rien tout nu surtout… Et même accepter de recevoir de l'aide et de nouvelles pistes de quelqu'un d'autre que soi. Ouache ! Comme Zoé a fait pas mal de ménage intérieur, elle peut s'appuyer sur son intention de fond : donner le meilleur d'elle-même par amour pour son art et son personnage. Comme un hors-bord, celle-ci la tire en dehors des eaux troubles de l'ego. En bonne élève et avec l'énergie du désespoir, Zoé choisit alors de s'ouvrir avec cœur. À l'inconnu, à ses difficultés, à la possibilité de ne pas l'avoir et à ses proches. Tout un étirement à faire et en si peu de temps. Mais ne dit-on pas que la nécessité est la mère de la transformation !

Étonnamment, comme s'ils s'étaient concertés, le réalisateur et ses partenaires de jeu s'empressent alors de lui offrir des directives et du soutien. Le plus beau là-dedans, c'est qu'elle les a reçus et mis à profit. Normalement, elle aurait été piquée, se serait mise à résister et aurait ainsi accentué le problème. Lorsqu'elle m'a raconté ce revirement, elle était encore émerveillée et habitée par l'amour et la joie qu'il lui avait fait vivre avec tout le monde sur le plateau. Avec son personnage aussi bien sûr puisqu'il fait partie de ceux qu'on appelle les autres.

À votre tour maintenant ! Au lieu de vous braquer contre l'adversité, êtes-vous prêts vous aussi à lui faire les yeux doux pour danser avec tout ce qu'elle peut vous apporter de beau, de bon et de nouveau ?

Je vous le répète, même si vous ne prévoyez pas faire les pratiques qui suivent, je vous suggère de les lire : elles vous enseigneront autant que le chapitre même, sinon plus.

L'INVITATION

Mariez vos obstacles à vos désirs pour créer des possibilités inespérées avec le Cœur Créateur

LA RÈGLE D'IMPROVISATION

Faites les yeux doux à l'inconnu en vous posant des questions *créacœur*

L'ESSENTIEL

Pour découvrir des inspirations inespérées, vous devez faire les yeux doux à l'inconnu, avec une question *créacœur* en main.

Faire les yeux doux, c'est adopter une attention à la fois abandonnée et curieuse, amoureuse et créatrice, ouverte et centrée.

Les questions *créacœur* font le pont entre ce que vous vivez, rencontrez et désirez pour faire émerger les possibilités du Cœur Créateur qui dépassent vos ressources habituelles.

Afin d'accomplir cet exploit, ces questions doivent nécessairement inclure l'épanouissement de *ce* et de *ceux* qui vous entourent.

Recevoir l'inconnu comme un présent et offrir comme un don les inspirations et les élans qui en jaillissent est la clé de cet art.

Tout et tous deviennent alors des collaborateurs dans une méga création collective.

L'ART DES QUESTIONS CRÉACŒUR

Pratiques hors champ

Ne vous fiez pas aux apparences ! Si la pratique qui suit vous semble longue, c'est parce que j'y ai mis plusieurs exemples de questions *créacœur* pour vous inspirer.

Si vous voulez simplement préparer le terrain pour recevoir des inspirations dans le feu de l'action, vous pouvez vous en tenir à la première pratique. Si vous voulez choisir, dans ma banque de questions, celles qui s'appliquent le mieux à votre situation actuelle, vous n'avez qu'à faire la deuxième pratique. Si vous avez le goût de partir à l'aventure pour dénicher vos propres questions dans ce que vous vivez et rencontrez, plongez dans la troisième.

Sortez les instruments de votre trousse de vérité, ils vous soutiendront dans ces pratiques.

1- Pour aimanter les inspirations du Cœur Créateur, préparez le terrain

C'est le temps de mettre la table pour les potentialités juteuses que vous réserve le Cœur Créateur. Certaines intentions et attitudes vont vous aider à partir du bon pied.

Prenez votre archet pour vous ouvrir à ce qui se passe présentement et déclarez :

— *Cette personne, cette situation ou ce malaise contient la prochaine impulsion créacœur pour réaliser mon rêve.*

Remarquez comment ce *oui et* implicite vous rend curieux et disponibles à ce qui veut émerger de beau, de bon et de nouveau à travers cette rencontre ou cette expérience.

Puis engagez-vous en affirmant ceci :

— *Je choisis de m'ouvrir à cette expérience pour y découvrir une possibilité inespérée pour tous.*

Pourquoi ne pas vous en donner à cœur joie en faisant une petite danse de votre cru et en chantant sur tous les tons :

— *Je m'ouvre à la merveilleuse possibilité cachée par le Cœur Créateur dans ce conflit, cet élément ou cet échec.*

Ou encore :

— *Je m'engage à faire de cette situation une occasion de me rapprocher de ce qui me tient à cœur.*

Que diriez-vous de déguster dès maintenant les fruits de votre co-création avec le Cœur Créateur ? Vous ferez ainsi un pied de nez au mental isoloir. Vous vous échapperez en catimini de ses limitations et complications et vous aimanterez les potentialités à venir. Dites donc avec émerveillement :

— *Ôôôh ! j'accepte dès maintenant d'être surpris et réjoui par la piste inespérée que je découvrirai dans cette circonstance.*

Ouvrez-vous et savourez les images, les sensations et les sentiments qui vous viennent alors.

Ne sous-estimez pas l'efficacité de ces escapades hors des sentiers battus de votre mental isoloir. Elles accordent votre attention, votre intuition et vos mouvements aux fréquences de DJ Allegro. Elles peuvent vous sortir instantanément d'une impasse entêtée pour libérer votre flot *créacœur* et vous plonger dans un monde fascinant à découvrir.

Votre boussole et vos moteurs sont maintenant alignés sur la destination de votre choix. Vous pouvez sans tarder vous lancer dans l'inconnu, accompagnés de ces intentions innovatrices. Acceptez simplement de ne pas avoir de réponse toute faite. Si vous leur faites confiance et les laissez travailler pour vous, ces visionnaires opéreront leur magie et vous en serez les premiers ravis. Comme la baguette du sourcier, elles vous feront vibrer à l'approche des bons filons.

Vous êtes prêts à faire les yeux doux à l'inconnu avec une question *créacœur* qui vous tiendra par la main ? Alors, entamons l'étape suivante.

2- Pour faire des mariages inespérés avec des partenaires impossibles : une banque de questions *créacœur*

Comme pour Rufus et Joséphine dans les pages précédentes, ces questions sont contenues dans ce que vous vivez et rencontrez maintenant. Ne vous en faites pas si vous n'avez aucune idée de la voie à suivre, c'est un atout dans cette exploration. Si vous la connaissez déjà, vous ne la découvrirez pas !

Faites maintenant sonner votre cloche pour adopter l'attention propre aux yeux doux. Sortez aussi vos antennes pour capter ce qui se passe dans votre corps vibrato en lisant les questions qui suivent. Notez au fur et à mesure celles qui vous font vibrer et respirer plus amplement. Vous pourrez ensuite les appliquer à la situation de votre choix.

Voici enfin cette fameuse banque de questions *créacœur*. Profitez-en, vous pouvez la dévaliser sans aucun remords. C'est rare…

Pour débuter, inspirons-nous de Joséphine et voyons ce qu'elle aurait pu se demander pour découvrir les possibilités contenues dans sa relation amoureuse. Remarquez que vous retrouverez dans chacune de ces questions, de manière plus ou moins explicite, le désir, l'obstacle et la réalité présente.

Vu que la maladresse de son amoureux représente une part d'elle qu'elle rejette, voici deux questions qu'elle pourrait se poser :

— *Si je disais « oui et » à la possibilité d'être gauche, qu'est-ce que je pourrais être, exprimer ou vivre de beau, bon, nouveau ?*

— *À quoi ai-je besoin de dire « oui et » pour que cette situation avec mon amoureux me fasse faire un pas vers lui et vers ce qui me tient à cœur ?*

Voici maintenant des questions qui font référence aux barrières qu'on frappe à l'extérieur de soi pour faire tomber celles qui y correspondent à l'intérieur :

— *Qu'est-ce que je dois laisser aller pour que l'obstacle représenté par la gaucherie de mon homme contribue à mon rêve et me relie amoureusement à lui ?*

— *Contre quelle vérité ou quel sentiment dois-je cesser de lutter pour que cette situation me rapproche de moi-même, de ce que je désire vivre et de mon homme ?*

Puisque tout ce qu'on rencontre nous amène à créer et à aimer au-delà de ce qui est possible en circuit fermé :

— *Si je dis merci à ce que je vis et rencontre, qu'est-ce que ça libère en moi qui me rapproche de ce que je souhaite de manière inattendue ?*

Étant donné que les obstacles qu'on rencontre visent à nous faire embrasser une part de soi :

— *Qu'est-ce que j'ai besoin d'aimer en moi pour que cet obstacle devienne un allié dans la réalisation de mon rêve ?*

Pour être disponible à ce qui cherche à émerger de bon et de nouveau à travers cette situation, Joséphine pourrait aussi transformer l'une ou l'autre de ses questions en choix ou en intention.

De concert avec elle, dites les phrases qui suivent et remarquez ce qu'elles créent en vous :

— *Je m'engage à faire tout ce qu'il faut pour que cette difficulté me rapproche de ce et de ceux qui me tiennent à cœur.*

— *Je me permets de recevoir de cet obstacle les clés qui m'aideront à réaliser ce que je désire ardemment, pour la plus grande joie de tous.*

— *Je choisis d'accepter la possibilité d'être gauche pour être libre d'aller vers ce et ceux que j'aime.*

— *Je choisis d'abandonner la bataille contre telle vérité, ou tel sentiment, pour que cette situation contribue à l'épanouissement de mon désir et de mon entourage.*

3- Pour dénicher les questions et les rêves enfouis dans vos obstacles

Prenez une personne, un projet ou une expérience qui vous pose problème.

Servez-vous de votre archet pour vous ouvrir amoureusement à la réalité présente en disant oui et à tout ce qu'elle soulève en vous. Puis, avec vos yeux doux, demandez-vous avec bienveillance ce qui est le plus difficile, blessant ou frustrant pour vous.

Comme je l'ai fait pour mon ennui, laissez émerger la vérité qui vous vient alors et embrassez-la. Vous avez vu comment, en le questionnant, mon ennui m'a révélé ma soif de connexions authentiques et créatrices ? De la même manière, le découragement de Joséphine cachait son rêve de retrouver l'état de grâce de ses escalades.

Un renversement aussi providentiel vous attend dans le détour : ce qui vous fait le plus souffrir vous indiquera ce que vous souhaitez le plus ardemment.

Pour profiter à votre tour de cette culbute, transformez en désir ce qui vous dérange, vous désespère ou vous frustre le plus.

Par exemple, « Je ne peux pas vivre, sentir ou exprimer telle chose à cause de cette personne ou de cette circonstance » devient « Je choisis de vivre, de sentir ou d'exprimer telle chose par l'entremise de cette situation. »

Ainsi, un sentiment de solitude face au comportement d'une personne peut vous indiquer que vous désirez vous sentir plus connectés aux autres et à vous-mêmes. Un découragement face à un échec artistique peut vous révéler votre besoin de soutien ou d'appréciation.

À partir de votre désir et de votre obstacle, trouvez ensuite une question créacœur à laquelle vous n'avez pas encore de réponse :

— *À quoi dois-je m'ouvrir en moi et autour de moi pour que cet obstacle réponde à mon désir de... pour la plus grande joie de tous ?*

— *Qu'est-ce qui émergerait de beau, de bon, de nouveau pour moi si je voyais cette interaction difficile ou ce blocage comme une manière que prend le Cœur Créateur pour répondre à mon désir de... ?*

— Ôôôh !? *Qu'est-ce qui peut naître de délicieux et de merveilleux, en accord avec mon vœu et mon entourage, à travers ce sentiment ou cette situation difficile ?*

Ne forcez pas du nez. Même si aucune inspiration ne vous vient, le simple fait de rester en présence de vos questions vous fera le plus grand bien. Ça vous gardera ouverts et éveillés. Laissez mûrir la réponse comme un fruit sous le soleil de votre attention détendue et chaleureuse.

Pratiques sur le champ

1- Faites une affiche avec les étapes des questions *créacœur*

Voici un rappel de ces étapes. Adoptez d'abord votre intention coureuse de fond. Embrassez ensuite votre réalité présente. Posez-vous une question *créacœur* à partir de ce qui émerge de cette réalité. Suivez au fur et à mesure les inspirations et les élans qu'elle fait naître.

Allons-y ! Pour visualiser ces étapes, choisissez des couleurs à votre goût. Esquissez sur une feuille de papier les symboles qui suivent, en allant de gauche à droite. Une alliance qui évoque votre intention de vous allier à tout ce que vous rencontrez. Un cœur qui illustre votre abandon à ce qui se passe maintenant pour épouser votre réalité présente. Un point d'interrogation pour vous laisser guider par une question *créacœur*. Une flèche pointée vers le haut pour indiquer l'inspiration nouvelle qui surgit alors.

Une alliance, un cœur, un point d'interrogation et une flèche : vous avez maintenant une vision instantanée et concrète du cycle des questions *créacœur*.

Placez cette affiche en vue dans votre studio d'enregistrement et consultez-la régulièrement.

2- Faites les yeux doux à une question *créacœur*

Faites sonner votre cloche et passez un bon moment à faire les yeux doux à une question qui vous tient à cœur. Restez en sa présence. Chérissez-la. Remerciez-la d'exister et d'être votre guide de la journée. Ne cherchez pas la réponse dans votre tête. Demeurez disponibles à la recevoir des endroits les plus inattendus.

3- Trouvez la perle rare

Pour inviter le Cœur Créateur à co-créer avec vous aujourd'hui, flirtez avec l'inconnu, en imaginant que chaque rencontre, chaque situation, contient un élément de réponse à vos aspirations les plus chères.

Dites :

— *Je choisis d'aborder ce que je vis aujourd'hui comme des réponses à ce que je veux créer et des manières de me relier amoureusement à moi-même et à mon entourage.*

Remarquez la différence que ça produit dans vos interactions et vos expériences.

Sixième mouvement

Écoutez avec le cœur, le corps et l'esprit ouverts pour la plus grande joie de tous

ou comment avoir des bonnes connexions en vous branchant sur DJ Allegro

~

L'invitation, la règle d'improvisation, l'essentiel

~

L'art des connexions créatrices et amoureuses

« *Toucher, goûter, humer, écouter ; notre corps permet d'aller à la rencontre du monde, de nous relier, et par là d'être entièrement dans cette présence aiguë qui unit.* »

« *Laisser entrer le monde par nos pores… c'est consentir à ce que s'incarne en nous le miracle du bourgeon qui devient feuille… »*

Hélène Dorion, *L'étreinte des vents*

« *— Avez-vous la clef de ce paradis enchaînai-je ?*

— Nous la possédons tous : il se crée très exactement lorsque deux êtres se rencontrent, dans le même élan de générosité réciproque. Mais cette rencontre doit avoir lieu dans une condition idéale : la liberté totale de chaque être. Or jamais l'homme n'est plus libre que lorsqu'il crée. »

Hélène Grimaud, *Leçons particulières*

« *C'est seulement en présence de l'autre que l'échange créateur est complet. C'est parce qu'en présence de l'altérité, un espace est créé entre les deux parties, où le réel travail créateur prend place.* »

Michael Jones, *Artful Leadership*

Écoutez de toutes vos oreilles !

Vous l'avez sûrement deviné, l'écoute est essentielle à toute impro-visation. À toute création et à toute interaction aussi du reste. Pas d'écoute réelle, alors pas de contact avec la réalité présente, pas de connexions, pas de création, pas de musique, et donc pas de *groove*. On danse tant bien que mal sur des tempos différents. Ou pas de tempo du tout. Parfois, on ne sait même pas qu'on est sur une piste de danse, c'est pour vous dire… Chacun fait son numéro en circuit fermé. À moitié ailleurs. En espérant que quelqu'un va remarquer qu'il est très spécial ou que personne ne verra pas qu'il ne l'est pas tant que ça. On se regarde de haut ou de loin. On se pile sur les pieds. On a l'impres-sion qu'il n'y a pas assez d'espace pour tout le monde. Ça nous fait une belle jambe et une belle danse…

Je vous montre ici une sorte d'écoute différente : comment être à l'écoute de vous-mêmes et de votre entourage pour plonger en direct dans la respiration des relations. C'est l'art de l'écoute *créacœur*. Exactement comme Marianne et Renaud ou comme Saul l'ont fait au chapitre 3. Ou encore, au même titre que moi aux chapitres 2 et 4. Vous pouvez les relire pour vous remettre dans le bain. Vous en aurez plusieurs autres exemples plus loin.

Pour y arriver, il faut vous ouvrir à ce que l'autre est, vit et exprime pour capter les mouvements créateurs, authentiques et amoureux que le Cœur Créateur vous transmet à travers lui. On les reçoit, on les embrasse et on les lui offre en retour. Ces mouvements vous relient ensemble et vous rapprochent mutuellement de qui vous êtes réellement et de ce qui vous tient à cœur. Vous sentez alors le souffle du Cœur Créateur vous traverser le corps, vous réchauffer le cœur et vous souffler de bienheureuses révélations.

Pas question d'ouvrir seulement les oreilles ou de participer du bout des lèvres pour pratiquer cet art ! On vous veut en entier, avec tous vos morceaux à la même place en même temps, bien accordés sur vos intentions et vos attitudes créatrices et amoureuses. Et pas de murs de Berlin, d'abris nucléaires ou de cavales en douce s'il vous plaît ! Dilatez plutôt les pores de votre corps vibrato en vous imaginant qu'il est une immense oreille ou encore la peau d'un tamtam. Puis, ouvrez toutes grandes les antennes de votre cœur et de votre esprit. Vous voilà en état de découverte amoureuse !

Même si je vous décris plus loin ces écoutes en détail, rappelez-vous que ce n'est pas une question de technique. Il suffit que vous ayez l'intention de recevoir et de vous laisser inspirer par le mouvement authentique, bienfaisant et inédit que DJ Allegro tente de vous transmettre à travers l'autre pour le lui redonner en retour. Et ça y est !

En vous ouvrant et en vous absorbant de cette manière, vous en retirerez les mêmes bienfaits qu'une méditation de groupe, que la pratique de votre art ou de votre sport préféré. Vous serez à même de recevoir les ondes d'amour, de vie et d'inspirations qui vous relient aux autres à travers l'interaction en cours. Heureusement, vous n'êtes pas des débutants dans cet art. Dans les chapitres antérieurs, je vous ai souvent invités à écouter ce qui se passe en vous de cette manière. Dans ce cas-ci, on s'exerce à l'écoute de l'autre en chair et en os, et en temps réel.

Grâce à cette qualité d'écoute et de connexion, vous serez touchés, allumés, transformés en présence de tout. Un sentiment, un peuple ou une personne. Un paysage, un animal, une maison. Ou encore, une toile, une musique, un texte. Bien sûr, une toile en gestation ne répondra pas en paroles (mmm… pourquoi pas ?). Mais, si vous interagissez avec ce qu'elle représente sans exigences, sans barrières et sans jugements, votre prochain coup de pinceau surgira du plus vibrant et du plus vrai de vous. En retour, vous animerez et ferez évoluer toutes ces composantes de votre vie par vos intentions créatrices et vos élans amoureux. Quel art généreux !

Pour baigner dans la respiration des relations, n'y allez pas par quatre chemins. Recevez ce que l'autre est, vit et exprime comme un cadeau des dieux, transmetteur des musiques de DJ Allegro, et offrez-lui en retour, sans calculs, votre attention, votre ouverture, votre vérité, vos élans et vos inspirations.

Ici, ne vous concentrez pas uniquement sur le contenu — les mots ou l'histoire. C'est crucial. Vérifiez plutôt la qualité de votre réceptivité, de votre connexion et de votre vitalité. Autant en vous exprimant qu'en écoutant. Restez attentifs au flux de vie derrière les paroles. À ce qui vibre, respire circule, résonne, pétille, se détend, s'ouvre, s'anime, jaillit… ou non dans le corps vibrato. En vous, chez l'autre et entre vous.

Comment sentir si vous êtes connectés on non aux autres ? C'est simple, vous l'avez déjà senti. Rappelez-vous un moment où vous étiez avec un ou une amoureuse. Tous les deux présents et ouverts. Vous avez sûrement ressenti dans votre corps un flot fondant de chaleur, de vie, de pétillement. Rappelez-vous maintenant un moment où vous étiez distants, absents, coupés l'un de l'autre. Vous voilà devant un mur, avec une sensation de vide ou de tension entre vous. Ça vous éclaire ?

Une fois de plus, le *Qui* et le *Pourquoi* font toute la différence. Vous le verrez dans les descriptions qui suivent des quatre types d'écoute. Ces écoutes sont proches parentes de celles dépeintes par Otto Scharmer dans *Theory U*. Mais, étant donné qu'elles reflètent la vision des *Improrelations*, elles sont différentes autant par leurs noms que par leurs contenus. Et j'ai nommé : *l'écoute-projection*, *l'écoute-cocon*, *l'écoute-connexion* et *l'écoute-création*. Leur description vous aidera à saisir la différence entre l'art de l'écoute créacœur et votre manière habituelle de prêter attention.

En lisant leurs portraits, ne vous étiquetez pas et ne vous mettez pas à l'index. Chacun de nous pratique à ses heures *l'écoute-projection* et *l'écoute-cocon*. Je m'y fais encore prendre après des années de pratique. Par contre, pour libérer la respiration des relations, on doit tous apprendre l'art de *l'écoute-connexion* et de *l'écoute-création*. C'est essentiel pour recevoir et transmettre en direct les possibilités savoureuses du Cœur Créateur.

L'écoute-projection

Dans *l'écoute-projection*, vous déversez sur l'autre et sur la réalité, comme un parfum intrusif pas très raffiné, ce que vous croyez, vivez et savez déjà. Ça vous sert de bouclier pour vous abriter derrière le connu, le prévisible, le contrôlé, le prédigéré. Pas moyen pour l'autre de vous rejoindre ou de vous toucher, il est arrêté et capturé en plein vol par la tribu cannibale des *Tions* : vos interprétations, indications, suppositions, argumentations, manipulations, compétitions, condamnations et j'en passe. Pour tout dire, il n'existe pas vraiment à vos yeux. C'est que la vie, vos projets, et les gens autour sont là pour vous donner raison. Vous éviter toute souffrance. Vous épargner tout inconfort. Ou encore, valider votre image de vous-mêmes. Un genre de *lazy-boy* humain avec un miroir embellissant intégré !

Ici, la guerre et la disette règnent. Pas de connexions vibrantes et inspirantes. Pas d'harmonies et pas de danses enlevantes. Il suffit que l'entourage vous demande de vous ouvrir et de donner votre pleine présence pour qu'il devienne une menace. Un danger pour vos illusions, vos fermetures et vos contrôles. Comme des seiches, vous jetez alors sur lui l'encre de vos projections. Vous l'affublez des traits, sentiments, pensées ou intentions que vous rejetez et niez chez vous. Ou vous l'idéalisez, ou vous le démonisez. Vous voilà justifiés de vous couper de lui, de le jalouser ou de lui résister. Votre attention est teintée par le passé, qui se répercute sur le futur. Vous ne découvrez rien, de toute façon vous le saviez déjà !

Vous êtes pris en otage par votre propre mental isoloir. Le Cœur Créateur est mis en quarantaine sur le banc des accusés parmi tous ces malveillants et ces fatigants qui vous mettent des bâtons dans les roues. Aucune chance pour lui de vous rejoindre pour vous inspirer et vous allumer. Pas de connexion, pas d'abandon à l'instant et pas de découverte. Allez savoir pourquoi vous vous sentez souvent seuls, vides et éteints !

L'écoute-cocon

Dans *l'écoute-cocon*, vous analysez, comparez, compartimentez, soustrayez, additionnez ou étudiez de loin les faits ou les autres. En mathématiques, c'est parfait mais dans l'écoute humaine, ça l'est moins. Vous vous concentrez sur les différences avec, la plupart du temps, un agenda du genre : « Ah !? C'est intéressant, tu es, tu penses, tu fais comme ça ? Pas moi. Moi, je fais ça… Moi aussi, je vis ça… À ta place, je ferais ça comme ça » ! Ou alors : « Merde ! Je ne m'attendais pas à ça… Je ne peux pas croire que je me sois trompé ». Ou bien : « Ah ! C'est exactement ce que je pensais, mon Dieu que je suis brillant ! »

Même si vous êtes intéressés, même si vous apprenez des choses, vous restez dans la bulle étanche de votre mental isoloir. Vous finissez par revenir à vous-mêmes sans avoir été réellement métamorphosés ou touchés. L'autre peut exister avec sa différence, pourvu qu'il n'entre pas trop dans votre enceinte. Qu'il ne vienne surtout pas créer de remous dans votre cocon ! Votre attention est davantage dans le présent. Par contre, la fenêtre de votre regard est rétrécie par le cadre avec lequel vous voyez le monde. Vous ressemblez à ces touristes qui ne sont jamais atteints en direct par les lieux et les gens qu'ils visitent parce qu'ils se cachent derrière leurs caméras. Ils s'en servent pour compartimenter et figer ce qui se déroule sous leurs yeux. Pas question de donner votre pleine présence à partir de ce qui vous rejoint maintenant ! Vous pourriez vous sentir vulnérables ou déstabilisés. Imaginez un chanteur qui déciderait de transmettre plus tard et ailleurs ce que sa chanson lui inspire plutôt que de l'offrir à chaud à son public…

Ici, le Cœur Créateur attend éternellement en coulisse que vous le fassiez entrer en scène. Voyez-vous, bien qu'il paralyse au seuil des eaux mouvantes de l'inconnu et de l'ouverture, le mental isoloir tient à prouver qu'il peut ramer seul.

Un merveilleux tandem pour vous ouvrir et découvrir du nouveau

Vous souhaitez improviser un monde captivant en présence de votre entourage ? Par moyen d'y échapper, vous devez maitriser l'art de l'écoute *créacœur*, ce mélange heureux *d'écoute-connexion* et *d'écoute-création* ! Ce tandem fait de vous un canal pour les ondes et les envolées musicales de DJ Allegro. À travers vos deux choix essentiels — aimer et créer — il vous connecte avec cœur, fluidité et inventivité à vous-mêmes et au monde. Au lieu de danser chacun dans votre coin, vous participez alors ensemble à une danse contact qui libère et enrichit la *pressence* de chacun. *L'écoute-connexion* vous relie aux autres à travers un mouvement amoureux et *l'écoute-création* à travers un mouvement créateur. Ce duo inséparable met à l'honneur le moment présent, le flot de la découverte et les connexions amoureuses. Il déjoue vos cercles vicieux. Affranchit vos liens des partis pris et des mauvais plis qui les font stagner, s'étioler. Vous ouvre à des possibilités insoupçonnées.

Ici, l'autre n'est plus un buffet à volonté pour remplir votre vide ou un miroir embellissant, un *lazy-boy* ou une image figée sur la pellicule de votre film intérieur. Bref, il n'est plus un objet de glorification ou de gratification. Il est devenu votre frère, votre muse, votre allié dans une création amoureuse collective. Votre partenaire dans une histoire d'amour à mettre au monde, une mélodie en devenir, une toile en gestation, un paysage à faire naître, une chorégraphie à inventer.

Tels des danseurs qui improvisent une danse contact ensemble, vous découvrez de nouvelles manières d'aimer, d'évoluer et de vous exprimer en restant attentifs au flot vibrant de vérités du cœur, d'élans amoureux et d'inspirations créatrices qui jaillissent d'instant en instant, en vous et entre vous, au point de contact avec l'autre. Tels des acteurs ou des musiciens qui improvisent sur scène, vous vous laissez toucher et transformer par ce qui émerge en vous en présence de ce que l'autre exprime. Vous avez trois belles boussoles pour vous guider : la sensation de la vie qui coule en vous et entre vous, l'expérience de découvrir la voie au fur et à mesure et le sentiment d'être connectés à l'entourage. Mmm, ça ressemble drôlement à quelque chose qu'on connaît… et ce n'est pas les trois petits cochons, devinez…

Deux consignes d'improvisation animent ces écoutes. La première : être reliés aux autres par l'intention de créer en chœur et par la réalité de l'instant. La deuxième : être à l'affût de ce qui cherche à naître de beau, de bon et de nouveau de cette connexion.

Comme vous le verrez, *l'écoute-connexion* repose sur la vérité et la vibration de vos cordes sensibles. À travers votre lien avec l'autre, vous embrassez une vérité qui vous accorde à qui vous êtes pour libérer votre présence authentique contagieuse. *L'écoute-création*, de son côté, découle de votre capacité à faire les yeux doux à l'inconnu pour danser avec l'imprévu. À travers votre lien avec l'entourage, vous captez et exprimez un élan inédit. Une nouvelle manière d'être, de créer et de vous relier. Dans le premier l'autre est l'émissaire d'une vérité vibrante harmonieuse et dans le second, d'une possibilité créatrice rassembleuse de DJ Allegro.

Par ailleurs, ces écoutes exigent toutes les deux la qualité d'attention et d'abandon propre aux yeux doux. Et, chacune implique l'amour de la vérité et une bonne dose de fluidité. Comme tout art, elles demandent de la pratique. Vous avez déjà commencé dans les chapitres précédents, alors vous n'avez qu'à continuer. Avant d'aller plus loin, en voici deux illustrations.

Depuis un certain temps, je rencontre Avril avec son mari Hugo. Cette femme menue, à la voix douce et aux yeux souvent tristes, fait régulièrement face, dans l'arène de son couple, à un Hugo gesticulant, vociférant et belligérant. En surface ils sont à l'opposé. Pourtant, on l'a vu au chapitre *Danser avec l'imprévu*, un mouvement commun, issu de leurs vérités respectives, cherche à les relier amoureusement et à les libérer à même leur réalité présente. Lorsqu'Avril ouvre le bal, en énonçant sobrement et sans blâme, sa vérité du moment : « Je suis tannée de nos disputes » je sens quelque chose qui s'abandonne dans mon corps. Un laisser-aller doux et vibrant qui sent l'échec *créacœur* à plein nez. Portée par cette sensation, arrive la vérité que je dois embrasser amoureusement : je n'éprouve aucun élan pour tenter de faire évoluer ce qui se passe entre eux vers un ailleurs meilleur. Guidée par cette belle lumineuse, j'incite Avril à se laisser couler, comme dans un bain chaud, dans sa sensation d'être tannée. Ce qu'elle fait avec un soupir de soulagement : « Je n'ai plus le goût de me battre ou de faire des efforts pour que ça marche. » Je l'encourage à respecter cette limite. Échec et vérité libératrice, prise 2. Pour ne pas perdre le contrôle et s'ouvrir à ce qu'il vit, Hugo en profite pour se lancer en solo dans une belle grosse argumentation juteuse. Personne ne mord à l'hameçon. Je lui demande plutôt de sentir ce qui se passerait en lui s'il cessait de discuter. Après avoir épilogué abondamment, il fond en larmes et se rend à l'évidence : « Je n'arrive pas à cesser de me battre on dirait que c'est plus fort que moi. » Ce bel aveu lui permet de s'ouvrir à l'aide dont il a besoin. Prise 3, échec et vérité libératrice. Du coup, l'atmosphère s'enrichit de sa présence authentique, tremblante mais bien vivante. Enfin ouvert, Hugo cherche le regard d'Avril qui le reçoit les yeux pleins de tendresse. Je suis émue à mon tour. L'amour passe enfin entre eux en faisant un petit détour par chez moi. La danse de la vérité nous a réunis à travers l'échec *créacœur* et les élans amoureux qu'il a fait naître.

Et un autre exemple, extrait de *Bungee, Vibrato et Tango*.

Chaque groupe incarne un thème commun qui lui est propre. Jumelé à mon intention du moment, il éclaire et éveille des zones différentes chez moi et les participants. La manière dont ce thème circule d'une personne à l'autre en se résolvant au fur et à mesure me renverse toujours autant. Peut-être parce que j'y perçois la main invisible d'un chef d'orchestre amoureux de la musique de nos interactions. Mon sens artistique, mon besoin d'harmonie et de sens y trouvent leur compte et leur contentement. Quand chacun s'exprime à partir de sa vérité face à ce thème, celui-ci sert de cata-lyseur pour le mouvement inédit qui cherche à naître en chacun de nous en nous reliant ensemble.

Ainsi pendant les quatre jours d'un atelier d'Improrelations, un thème s'amuse à jouer à saute-mouton d'un participant à l'autre : la performance versus l'acceptation, les fausses apparences versus la transparence, le plaisir de créer et de s'exprimer pleinement versus la peur de l'échec ou de ne pas être assez. On dirait une course à relais doublée d'une course à obstacles : chaque personne prend à tour de rôle le flambeau de la transparence et de l'acceptation, franchit un obstacle causé par son besoin de performer et d'obtenir l'approbation des autres, embrasse un nouvel aspect d'elle, y goûte, en fait profiter les autres puis passe le flambeau à quelqu'un qui en fait autant.

Pour mieux vous les présenter, je dois séparer *l'écoute-connexion* et *l'écoute-création*. Mais, dans la vraie vie, ces deux complices se tien-nent et se suivent comme des outardes s'envolant vers la chaleur et la liberté.

L'écoute-connexion

Avec cette écoute, vous ouvrez votre cœur à la vérité vivifiante qui cherche à être embrassée dans votre interaction avec l'autre pour vous relier amoureusement. Grâce aux vibrations harmonieuses qu'elle propage en vous et dans l'atmosphère, elle vous connecte à votre flot *créacœur* et à votre entourage. Vous dansez sur la même musique, reliés par les ondes de vos vérités respectives qui vibrent en chœur avec celles de DJ Allegro. Vous devenez plus vivants, libres et amoureux. Votre intention et votre attitude sont à la tête de cette belle œuvre : vous relier avec cœur, d'une manière réelle et stimulante, à vous-mêmes et à l'autre. Une fois celles-ci en place, le reste vient tout seul.

Pour vous inspirer, voyez l'autre comme un archet qui vous transmet les pulsations et les mouvements de DJ Allegro à travers ce qu'il éveille dans votre corps vibrato. Il est l'instrument qui vous permet de mettre vos cordes sensibles au diapason des notes justes et harmonieuses de ses accords. Faites-les donc chanter à son contact.

Afin de vivre ce petit miracle, laissez tomber vos filtres, vos contrôles et vos attentes. Laissez-vous ensuite atteindre en direct par la réalité de l'autre et offrez en retour les sentiments et les élans authentiques qu'elle soulève en vous. Ce faisant, vous ajoutez quelques accords, tout frais sortis de vos cordes sensibles, à son expérience. Vous l'enrichissez et lui permettez de s'épanouir encore plus. Si l'heureux bénéficiaire est ouvert à se laisser toucher et inspirer à son tour par l'archet que vous êtes, bien entendu.

Voici une des questions-clé de cette écoute (vous en trouverez d'autres dans les pratiques hors champ qui suivent) : *quel mouvement authentique, quelle vérité vibrante cherchent à être embrassés — en moi et en l'autre — dans notre interaction présente ?*

Autrement dit : *quelle vérité vivante et amoureuse cherche à naître à travers nous pour nous épanouir de part et d'autre en nous connectant au Cœur Créateur ?*

Dès le moment où cette vérité jaillit et circule, vos murs mutuels fondent. Vous vous rejoignez à travers les vibrations de vos vérités respectives. Vous vous déposez avec soulagement dans la vérité et la réalité présentes. Vous cessez de contrôler et de vous cacher derrière la cloison du mental isoloir. Un courant de vie, d'authenticité et d'amour voyage entre vous et l'autre. Entre vous et l'univers dans lequel vous baignez. Vous ouvrir à l'autre vous ouvre à vous-mêmes. Vous ouvrir à vous-mêmes vous ouvre à l'autre. Votre rencontre peut aussi bien ressembler à un rock'n'roll débridé qu'à une valse fluide, à un tango passionné qu'à un slow tendre et méditatif.

Avec cette écoute, vos proches, vos expériences et le monde en entier deviennent des invitations amoureuses. Des appels à aimer tout ce qui n'est pas aimé pour le faire vibrer, chanter. Des incitations à vous poser dans l'instant pour rejoindre votre présence véritable et vous relier ensemble au Cœur Créateur.

Ici, vous dites implicitement à l'autre : « Je m'ouvre et reçois ce que tu es, vis et exprime pour me connecter chaleureusement à la vérité qui nous unit et nous libère dans l'instant ».

Dès lors, le Cœur Créateur entre dans la danse. Il nous enlace tous dans ses bras immenses, pleins de tendresse. Nous relie à la sagesse organique de la vie. Nous réconcilie avec ce qu'on est, vit et rencontre. Le mental isoloir abandonne ses ceintures étouffantes, ses boutons à pression et ses fermetures éclair. On peut enfin se laisser bercer par la respiration des relations. On sort de nos prisons et on prend de l'expansion. On cesse alors de se regarder à la loupe pour voir si on danse bien. Ouf ! On se sent enfin acceptés, vus, soutenus pour ce qu'on est. On se permet d'être plus vrais que nature pour la plus grande joie de tous.

L'écoute-connexion est aussi naturelle que la respiration, alors ne forcez rien. Lorsqu'elle est pratiquée ainsi, cette sorte de méditation interactive sur la vérité du cœur est extrêmement apaisante, revigorante et nourrissante. Une véritable communion !

Faite dans les règles de l'art, *l'écoute-connexion* débouche naturellement sur *l'écoute-création*. À titre d'exemple, laissez-moi vous parler de Bernadette, une directrice d'entreprise ayant une forte propension à snober ce qu'elle vit. À croire que sa tête vit à Westmount et son ressenti à St-Henri ! Elle se coupe ainsi du contact fructueux avec sa réalité présente et son entourage. Cette femme d'âge mûr démarre un projet d'avant-garde et n'arrive plus à dormir sur ses deux oreilles. Quelle vérité doit-elle embrasser pour se connecter au flot *créacœur* ? En l'écoutant me raconter son histoire, je remarque qu'une peur, qu'elle s'évertue à mettre de côté, se dégage de son corps tendu et de son discours précipité. J'éprouve une tendresse spontanée pour cette vulnérabilité. Lorsque je fais part à Bernadette de cette vérité et de cet élan, elle s'empresse, du haut de son mental isoloir, de me vendre les mérites de la pensée positive : il ne faut pas écouter ses peurs de peur de perdre son efficacité… Mmm ! De mon humble point de vue, ça fait deux peurs plutôt qu'une… Je la rassure : être présente à la peur qui l'habite n'a rien à voir avec sombrer dans ses peurs. Au contraire, lorsqu'on embrasse avec compassion la réalité présente, on découvre du beau, du bon et du nouveau à partir de ce qui se passe maintenant. Après quelques encouragements de ma part et quelques larmes de la sienne, Bernadette répond à mon mouvement de tendresse en s'ouvrant avec cœur à son expérience. N'ayant plus à lutter, son corps se détend, son esprit s'ouvre, sa volonté se décrispe. Ils se déposent avec la douceur des flocons de neige sur le sol accueillant de sa vérité. Cet abandon lui permet d'enfin accepter son besoin d'aide. Dès cet instant, elle reçoit une manne d'inspirations. Elle découvre alors dans son équipe, des ressources, des alliés et des possibilités qu'elle ne voyait pas tant qu'elle restait coincée dans le ghetto de son contrôle et de son autosuffisance. De fil en aiguille, l'*écoute-connexion* s'est transformée en *écoute-création*. C'est un régal de voir et de sentir la douceur, l'apaisement et la joie qui se dégagent maintenant de Bernadette.

L'écoute-création

Comme vous le voyez chez Bernadette, dans la même foulée que l'*écoute-connexion*, vient l'*écoute-création*. C'est que la vérité vibrante est le tremplin de nos inspirations. Dans l'*écoute-création*, vous abordez le lien entre vous et votre entourage comme une œuvre d'art en perpétuel mouvement. Un creuset d'où surgissent d'instant en instant des possibilités inédites. Vous participez ainsi avec votre entourage à l'émergence de mouvements créateurs qui vous unissent dans un plus grand Tout harmonieux. Ces mouvements accourent tout guillerets dès que vous vous engagez à donner le meilleur de vous pour contribuer à l'expansion créatrice de tous. À condition cependant de les rechercher et de vous y abandonner corps et âme lorsqu'ils surviennent.

La question-clé est ici : *qu'est-ce qui cherche à émerger et à se créer de beau, de bon et de nouveau entre nous présentement ?*

Autrement dit : *quel mouvement créateur cherche à naître maintenant pour nous faire évoluer mutuellement ?*

L'écoute-création donne lieu à une danse où chacun s'exprime et se réalise, en suivant ce qui naît d'inspirant et de neuf en lui au contact de l'autre et de la musique. Dans cette danse, vous devenez à tour de rôle le canal d'une source d'inspiration collective. Vous êtes l'inspirateur et l'inspiré, le guide et le guidé. C'est que DJ Allegro, avec sa touche inimitable, marie les dons, les expériences et les circonstances de chacun pour créer ses musiques prenantes. Il s'en sert pour créer des mouvements et des accords beaucoup plus savoureux et captivants que vous ne pourriez le faire en restant dans votre tanière. Lorsque vous dansez en harmonie avec eux, ils vous rapprochent de ce qui vous tient à cœur en vous reliant au Cœur Créateur.

La seule manière d'être à votre meilleur ici, c'est de l'offrir aux autres. Vous libérez ainsi votre *pressence* qui en retour attise comme un aimant le plus vibrant, le plus libre et le plus tendre de votre entourage.

C'est quoi, le meilleur de moi, me direz-vous ? C'est ce qui émerge maintenant en vous, que vous embrassez et mettez au monde, dans l'intention d'être réellement présents et ouverts à ce qui vous entoure. Pour la simple joie de participer à l'épanouissement, la beauté, la liberté, la joie et la bonté du monde. Abordé ainsi, tout ce qui voit le jour au contact de votre entourage, en accord avec vos mouvements sincères, crée des miracles. Des petits, des moyens et des grands.

En voici un exemple. Marcus, un séducteur invétéré, rêve d'être acteur. Il veut que je l'aide à s'exprimer plus authentiquement. À se défaire de la peur qui le paralyse également. À un tel point qu'il ne peut même pas s'inscrire à un cours de théâtre. Encore moins passer des auditions. Il excelle dans l'art de maquiller et de mettre des paillettes sur tout ce qui sort de lui pour séduire la galerie. Il cache ainsi la honte profonde et la rage qui l'habitent depuis qu'il est petit. En général, il réussit assez bien. Le hic, c'est que ça bloque sa spontanéité. Ça l'empêche d'être et de jouer vrai. Et, ça le coupe des courants de sa *pressence*.

Un jour, tandis qu'il est occupé à trouver la manière de me charmer — pourquoi se donner tant de mal, seule sa vérité me séduit ! —, j'éprouve une envie impérieuse d'improviser une chanson pour traduire ce qu'il vit. J'hésite. Puis me lance. Je ne vais tout de même pas aider Marcus à suivre ses élans en bloquant les miens ! Je me mets donc à chanter les paroles et la mélodie sommaires qui me viennent naturellement à son contact. Pas question d'essayer de performer pour la galerie. L'objectif est plutôt d'embrasser ce qui surgit en se mettant au service d'un but commun : la liberté d'expression. La sienne et la mienne. Soudain allumé, Marcus me demande de continuer. J'accepte et l'invite à entrer dans la danse. Après un moment, rougissant comme un homard dans l'eau brûlante de sa passion, il s'abandonne à ce qui monte en lui. Les yeux dans l'eau, la voix tremblante d'émotion, il se met à chanter. Nous voilà reliés par un courant d'inspirations amoureuses. Porté par lui, Marcus sort de la prison de sa séduction. De mon côté, je me retrouve avec plus de latitude dans mon expression et un éventail enrichi de voies de transformation. Je lui offre alors une chandelle d'anniversaire pour souligner son courage. Il la reçoit avec autant de bonheur qu'un prix Gémeaux.

Au fil de nos rencontres, Marcus laissera tomber son besoin d'éblouir le peuple. Bouleversé, il retrouvera sa liberté d'être et sa vraie présence en s'ouvrant aux autres. Ce qui lui permettra de plonger de tout cœur dans son métier. Adieu peurs, honte et paralysie : elles ont été emportées par son flot *créacœur* en liberté ! Aux dernières nouvelles, il pratique son art avec bonheur.

Comme vous voyez, grâce à son *oui et*, Marcus a été inspiré. Transformé par ce qui émergeait naturellement de son monde intérieur en réponse à ce que je lui présentais. Comme lui, si vous voulez jouir des fruits de *l'écoute-création*, vous devrez participer à ce qui germe d'instant en instant par l'entremise de vos connexions. On n'y échappe pas : dans l'improvisation avec DJ Allegro, tout le monde gagne en collaborant à l'éclosion des musiques qu'il crée entre nous et, par ricochet, en nous.

Bien qu'ils soient créateurs, les mouvements et les inspirations qui nous viennent de nos connexions ne s'expriment pas nécessairement sous une forme artistique. Ils peuvent s'extérioriser par des mots, comme mon « Je ne sais pas quoi faire » exprimé devant mon groupe. Des élans de tendresse ou de gratitude. Des vérités vibrantes. Des impulsions soudaines. Des moments de douce folie. Des gestes neufs…

Bref, avec *l'écoute-création* et *l'écoute-connexion*, finis le cocon et les projections du mental isoloir ! Vous cessez de nourrir ses guéguerres. Vous arrêtez de lutter contre tout ce qui vous arrive du dedans et du dehors. Vous donnez congé à votre besoin de contrôler le futur, vos voisins, la voie que prendra la réalisation de vos rêves. Vous vous délestez de vos jugements et de vos vieilles identités enfermées dans leurs certitudes rigides. Vous devenez la page blanche, le clavier ou le canevas sur lequel le Cœur Créateur manifeste ses inspirations libératrices et ses vérités amoureuses dernier cri.

En fait, cette qualité d'attention et d'écoute, c'est le *oui et* par excellence de l'impro : « *Oui et*, je laisse entrer, sans défense et sans écran, ce que tu exprimes maintenant. Et, à partir de ce que tu m'offres, je laisse surgir le mouvement authentique et l'inspiration qui contribueront à notre épanouissement et à nos vœux mutuels par l'entremise des chorégraphies de DJ Allegro. »

Qu'il réponde ou non à vos attentes, l'extérieur apparaît désormais comme une réponse à découvrir. Un cadeau à ouvrir. Un élan à recevoir. Un co-créateur dans l'accomplissement de vous-mêmes et de vos plus beaux rêves.

Voici en rafale quelques-uns des effets produits par *l'écoute-connexion* et *l'écoute-création*. On est surpris, émerveillés par ce qui émerge. On se sent portés, transportés par un courant vibrant de vérité et d'inspirations qui nous traverse, nous raccorde à nous-mêmes et nous connecte aux autres. On est absorbés dans l'ici maintenant. On est énergisés, comblés par une source de vie, d'amour et de joie pure.

Attention ! Une fois qu'on y a goûté, on y prend goût : on en veut encore et encore.

L'INVITATION

Découvrez dans vos connexions actuelles les possibilités
amoureuses et les révélations inédites du Cœur Créateur

LA RÈGLE D'IMPROVISATION

Écoutez le cœur, le corps et l'esprit ouverts

L'ESSENTIEL

L'écoute-connexion vous ouvre, à travers la réalité et la vérité de l'instant, aux possibilités amoureuses contenues dans tout ce que vous rencontrez.

L'écoute-création vous amène à découvrir les possibilités créatrices inclues dans vos liens avec l'entourage.

Vous participez dès lors à une création commune qui répond aux aspirations de chacun.

Cet art de l'écoute demande d'ouvrir tout grand votre cœur, votre esprit et les antennes de votre corps vibrato.

Ça vous permet de percevoir et recevoir l'autre comme un allié dans la mise au monde de ces mouvements et de ces potentialités inespérés.

L'art des connexions créatrices et amoureuses

Pratiques hors champ

Souvenez-vous que chaque élément de votre expérience et de votre milieu peut devenir porteur de *sang* et de *sens* neufs. Ça dépend essentiellement de votre qualité de présence, d'ouverture et de connexion.

Ne vous en faites pas si, au départ, vous ne recevez pas d'inspirations créatrices et amoureuses en pratiquant *l'écoute-connexion* et *l'écoute-création*. Le seul fait de vous ouvrir à votre entourage, avec les intentions, les attitudes et les questions que je vous propose ici, va transformer votre manière d'être, de sentir, de voir, d'interagir, d'agir. Et pareillement, votre façon d'écouter et de recevoir ce qui se passe en vous et autour de vous.

1- Pour vous ouvrir à tout embrasser : *l'accept'amour*

Voici une imagerie corporelle qui vous aidera à créer l'ouverture propice à *l'écoute-connexion* et à *l'écoute-création*. Elle est inspirée de la pratique de *l'accept'amour* dans *Bungee, Vibrato* et *Tango. L'accept'amour* est un mélange d'amour et de gratitude qui ouvre et qui fait vibrer la personne qui l'exprime. Tout comme celle qui le reçoit.

a) Imaginez que ça sonne à votre porte. Vous allez ouvrir. Quelqu'un vous tend, avec un sourire radieux, un bouquet de fleurs au parfum exquis. Il vous annonce en même temps :

« J'ai une livraison *d'accept'amour* pour vous. Êtes-vous prêt à la recevoir ? »

b) Dites un beau *oui* avec le sourire. Prenez le bouquet et remerciez le livreur. Humez ensuite les fleurs. Laissez pénétrer ce souffle parfumé dans chaque pore de votre peau. Suivez-le jusqu'à ce qu'il se dépose au fond de votre ventre, en passant par votre poitrine et votre plexus.

c) Goûtez à la sensation. Observez les effets que ça produit dans votre corps vibrato. Est-ce plus ouvert, joyeux, paisible, tendre, léger, plein, vibrant ?

d) Visualisez un thermostat qui indique en degrés la quantité *d'accept'amour* que votre corps a absorbé jusqu'à maintenant. Est-ce 0, 20, 50, 80 ou 100 degrés ?

e) Demandez-vous si vous êtes ouvert à en recevoir plus.

f) Si oui, dites-le avec un sourire. Prenez une autre bouffée *d'accept'amour* en inspirant à nouveau le parfum de vos fleurs.

g) Refaites le même processus, jusqu'à ce que vous vous sentiez rempli à 100 % d'une délicieuse et subtile sensation de légèreté, d'apaisement ou de pétillement. D'un sentiment de plénitude, de joie ou d'amour.

h) Redites un beau *merci* à la personne qui vous a envoyé ces fleurs !

2- Pour recevoir des inspirations amoureuses de l'entourage : *l'écoute-connexion*

Décuplez ce parfum *d'accept'amour* en l'offrant, à travers *l'écoute-connexion*, à une personne, un élément, un malaise, un projet de votre choix.

N'oubliez pas que *l'écoute-connexion* est un échange de vérités vibrantes pour se relier à une source amoureuse commune.

Ici, vous recevez l'autre — ce qu'il est, vit et transmet maintenant — comme le messager d'une possibilité amoureuse que vous mettez au monde ensemble. Vous lui offrez d'abord votre attention ouverte et détendue. Puis, ce qu'il éveille de vrai et de vivant en vous : un élan, une vulnérabilité, une inspiration, une vérité, un geste, un sentiment, une appréciation, un écho, un besoin, une plénitude… Vous en avez vu un exemple au chapitre précédent quand Saul, en dévoilant sa peur, s'est relié aux gens du groupe qui ont eu accès, eux aussi, à leur vérité.

Vous pouvez faire soit la version globale, soit la version découpée de cette pratique.

La version globale d'abord.

Faites faire trois tours à votre alliance en disant :

— *Cette personne ou cette situation est une occasion d'embrasser la vérité présente qui nous relie amoureusement et nous épanouit réciproquement.*

Plutôt que de vous concentrer sur ses paroles ou son apparence, inspirez dans son ensemble, comme un parfum, ce que cette personne ou cette situation vous transmet subtilement. Dites *oui et* avec gratitude en vous ouvrant à l'expérience authentique qui cherche à être embrassée ou aimée en elle comme en vous. Restez à l'écoute de ce qui fait vibrer, respirer, éclore cette personne. Sentez ce qu'elle touche ou éveille de vrai et de vivant dans votre corps. Comme lorsque vous conduisez, demeurez attentifs à la route (l'autre) tout en maintenant une attention secondaire sur ce que font vos pieds et vos mains (votre corps vibrato).

Offrez-lui cette vérité dans l'intention de vibrer avec elle.

Et maintenant, la version découpée en tranches.

Si vous préférez faire cette pratique par étapes, voici en enfilade l'attitude, l'intention, la question et l'action qui la composent.

Faites sonner votre gong ou votre cloche pour signaler qu'il est temps de laisser aller toute attente, tout jugement, tout contrôle et de faire les yeux doux à votre compagnie. Nulle part où aller, rien à prouver. Pas besoin de savoir ce qui va arriver, vous êtes guidés par votre intention, votre abandon et votre connexion.

Ce qui importe, c'est *Qui*, en vous, écoute ou s'exprime, et dans quelle attitude. Non ce que vous dites ou faites de bon ou de moins bon.

Vous pouvez prendre votre archet virtuel ou réel pour faire vibrer vos cordes sensibles et vous laisser toucher par l'autre.

En portant attention à ce qui se passe dans votre corps vibrato, gardez une de ces questions en arrière-plan :

— *À travers notre lien actuel, qu'est-ce qui cherche à être embrassé, reçu, aimé pour reprendre vie en moi et en l'autre ?*

— *Quelle vérité dois-je embrasser et offrir maintenant pour me relier à mon entourage d'une manière vivante et amoureuse ?*

— *Quelle vérité dois-je recevoir de l'autre et laisser vibrer en moi pour me relier avec cœur à cette personne ?*

Mettez une part de votre attention sur ce qui se passe dans votre corps sans passer par votre tête. Utilisez vos antennes pour capter la vérité qui vous fera vibrer ensemble, que vous en soyez le récepteur ou l'émetteur. Suivez la vie à la trace : restez attentifs aux sensations, aux mots, aux images, aux impulsions, aux gestes, venant de vous ou de l'autre, qui vous touchent, vous font respirer, vous rendent vivants, vous inspirent. Ce sont des indices que vous êtes dans la bonne voie, en état de découverte amoureuse.

Ne vous cassez surtout pas la tête. Ouvrez et inspirez, puis laissez aller et expirez en laissant simplement venir ce qui émerge pour l'embrasser et le partager avec l'autre.

Vous laisser ainsi rejoindre et animer par les autres et leur redonner l'impact qu'ils ont sur vous est un des plus beaux cadeaux que vous puissiez leur faire. Et vous faire du même coup.

3- Pour recevoir des inspirations créatrices de l'entourage : *l'écoute-création*

Ici, vous vous ouvrez aux possibilités créatrices qui cherchent à émerger à travers vos liens actuels : c'est la saison des découvertes. L'autre est un collaborateur dans une création partagée. Traitez-le comme le messager de la prochaine inspiration qui vous rapprochera de ce qui vous tient à cœur.

Aborder ainsi un texte ou une toile fera émerger d'une manière inattendue vos prochains mots ou gestes, sans les interférences de votre mental isoloir. Vous absorber dans la contemplation d'un paysage vous connectera à un état intérieur inédit. Vous imprégner de l'atmosphère d'une maison pourrait vous révéler un besoin ou un élan latent. Vous ouvrir ainsi à une relation ou une création en cours vous inspirera de nouvelles manières d'être et de vous exprimer.

En faisant tourner votre alliance, dites ceci :

— *Cette personne, cette situation, ce malaise ou cet obstacle contient la prochaine inspiration qui me permettra de réaliser ce qui me tient le plus à cœur tout en contribuant à sa libération ou à son épanouissement.*

Voici l'attitude, l'intention, la question et l'action pour recevoir ces inspirations.

Faites sonner votre cloche pour vous placer en état de découverte amoureuse face à ce que vous rencontrez : une ouverture émerveillée, prête à découvrir et à libérer du bon et du nouveau. Acceptez de ne pas savoir et de ne pas contrôler la possibilité créatrice qui cherche à naître.

Quelle que soit votre expérience, approchez-la comme un enfant curieux qui est sur le point de déballer un cadeau.

Écoutez avec l'intention de participer au mouvement créateur qui vous unit, en faisant du bon, du beau et du nouveau avec tout ce que l'autre vous présente.

La question implicite de cette écoute :

— *À travers cette rencontre, qu'est-ce qui cherche à émerger d'inédit, qui répond à mes aspirations en accord avec celles de l'autre ?*

— *Qu'est-ce que j'ai besoin de laisser émerger de nouveau en moi face à cette personne, ce projet, cette situation pour m'y relier créativement ?*

Sans agenda préétabli, recevez ce que l'autre vous présente avec l'attention détendue et éveillée de vos yeux doux. Prenez votre temps. Vos antennes en alerte, attendez qu'un mouvement ou une inspiration émergent organiquement dans votre corps vibrato. Sans rien forcer. Le pire qui puisse arriver, c'est que rien n'arrive justement, et comme c'est déjà en train d'arriver, vous n'en mourrez pas et la terre va continuer de tourner. Donc, acceptez la possibilité qu'il ne vienne rien.

Par contre, s'il vous vient un élan ou une intuition, suivez-les pas à pas !

Pratiques sur le champ

1- Des petits dons scintillants pour la plus grande joie de tous

Pendant la journée, prenez une pause pour observer quelle sorte d'écoute vous pratiquez.

Si vous réalisez que vous êtes dans *l'écoute-cocon* ou *l'écoute-projection*, acceptez-le sans vous juger. Choisissez ensuite de passer à *l'écoute-connexion* ou à *l'écoute-création*.

Ouvrez-vous à la personne, la situation, le projet, le malaise avec lesquels vous êtes en interaction. Recevez-les comme le parfum de votre bouquet *d'accept'amour*. Imaginez en même temps que ce qu'ils expriment recèle une perle d'inspiration pour ce qui vous tient le plus à cœur présentement. Laissez-vous toucher, inspirer et suivez ce qui vous vient naturellement.

Pour rendre ces réalités plus accessibles, voici un jeu. Il vous permettra de passer une journée, une semaine ou une vie entière à porter attention et à prêter l'oreille d'une manière soutenue et ludique aux richesses amoureuses et créatrices contenues dans vos rencontres. Vous serez surpris de voir à quel point votre journée sera illuminée par ces instants généreux tout simples, à côté desquels vous passez habituellement.

Procurez-vous d'abord des étoiles autocollantes. Donnez-vous comme défi d'en offrir au moins une par jour. Offrez-vous luxe de faire ce geste aussi gratuit qu'inattendu. À chaque fois que quelqu'un ou quelque chose vous inspire, vous réjouit, ou vous touche, dites tout bas ou tout haut selon les circonstances, l'une des phrases suivantes — ou une phrase similaire de votre cru. En même temps, collez une étoile sur la main de la personne ou sur la surface de l'objet en question. Si jamais ce n'est pas possible, collez l'étoile à l'endroit de votre corps où vous êtes atteints. Mais, si c'est possible, ne vous privez pas de ce geste aussi inattendu que réjouissant.

— *Merci d'être une étoile vibrante dans ma vie, ce que tu viens d'être, de dire ou de faire me touche et me fait vibrer.*

— *Merci d'être une étoile inspirante pour moi, ce que tu as dit ou fait m'inspire… ou me donne le goût de… me fait découvrir…*

— *Merci d'être une bonne étoile pour moi, ce que tu es ou transmets me réconforte ou me donne le courage de…*

— *Merci d'être une étoile pétillante dans ma vie, ce que tu es, vis ou dis me réjouit, m'enthousiasme, me fait rire…*

Vous pouvez aussi simplement dire :

— *Merci, tu viens de me réjouir ou de m'inspirer…*

Observez les effets sur vous et votre entourage de ces nouvelles manières de voir, de recevoir et d'écouter ce qui se passe dans vos interactions. En dépit de vos craintes initiales, vous serez ravis des liens heureux, attendrissants et surprenants que feront naître ces petits dons scintillants.

Lorsque vous vous exprimez ou que vous écoutez, demandez-vous :

— Est-ce que je suis en train de m'ouvrir et de découvrir du nouveau, autrement dit est-ce que suis en état de découverte amoureuse ?

Si oui, bravo ! Sinon, empressez-vous d'adopter les intentions et les attitudes qui vont vous plonger dans cet état béni des dieux.

Puis donnez-vous une étoile pour l'avoir fait !

2- Faites un don d'attention

Lorsque vous vous sentez coincés, troublés ou malheureux, choisissez d'offrir votre pleine attention et de faire les yeux doux à une personne ou à un élément de votre entourage. Soyez tout yeux, tout oreilles, tout cœur. Surveillez les occasions de lui donner une étoile. Essayez d'en trouver au moins une. Observez l'impact sur vous et sur l'autre. Si vous le faites sincèrement, vous serez étonnés de voir à quel point ça vous fait du bien.

3- Faites un don *d'accept'amour*

Envoyez des fleurs virtuelles ou réelles à une personne que vous avez de la difficulté à accepter ou à qui ça ferait le plus grand bien. Choisissez les odeurs et les couleurs qui, selon vous, la réjouiraient. Trouvez une ou deux choses que vous appréciez d'elle. Traduisez ce mouvement *d'accept'amour* dans un petit texte de deux ou trois lignes. Insérez-le dans votre envoi. Collez une ou deux étoiles sur l'enveloppe. Puis mettez-en une sur votre front, votre joue ou votre cœur en guise de bise bien méritée.

SEPTIÈME MOUVEMENT

Changez le *Qui* et le *Pourquoi* pour changer votre monde

*ou comment transformer vos travers
en dons humanitaires*

~

L'invitation, la règle d'improvisation, l'essentiel

~

L'art contagieux des intentions limpides

« *Tout ce qui est déplaisant dans l'humain, et que le performeur moyen refuse d'assumer, est ce qu'un grand artiste de la scène utilise pour rendre l'art universel.* »

Darryl Hickman, *The Unconscious Actor*

« *L'important est que ces énergies destructrices qui, de toute façon, lorsqu'elles demeurent stagnantes, nous grignotent de l'intérieur, puissent être mises jour dans une expression canalisée et transformatrice. L'Alchimie de l'acte réussi transmute la ténèbre en lumière.* »

Alexandro Jodorowsky, *Le théâtre de la guérison*

« *Rappelez-vous que, historiquement, très peu de gens sont parvenus à éradiquer en eux le tyran, le souverain, l'oppresseur, l'agresseur et celui qui veut se venger. Il est temps qu'on prévoie rencontrer de la négativité et qu'on soit prêts à bouger avec elle.* »

Arnold Mindell, *Sitting In The Fire*

« *La révolte et le sentiment d'hostilité mènent inévitablement au cercle vicieux de la projection. On n'arrive à l'expérience que par la confiance.* »

Jean Bédard, *Le pouvoir ou la vie*

Aborder le pire de vous à partir du meilleur de vous fait toute la différence !

Vous avez tout fait pour que les choses ou les gens de votre vie coopèrent à votre bonheur. Aucune réponse décente ne se pointe à l'horizon et vous commencez à ressembler à Hulk (ou à Darth Vader si vous préférez la haute technologie à la brute musclée). Les imaginations les plus carnassières envahissent votre esprit. Qui n'a pas vécu ça ? Comme la plupart, rendus là, vous boudez ou vous partez en guerre. Qu'ils aillent tous chez le diable !

Eh bien ! Pour vous éviter une crise de nerfs ou de délire existentiel, je dois maintenant vous parler des intentions anti-flot, ces *ne pas* qui minent vos plus grandes aspirations et vos plus beaux élans. C'est bien simple, un *ne pas*, c'est l'envers d'un *oui et*. Genre, un pied sur le gaz, un pied sur le frein. Avec le frein à main à moitié relevé, au cas où on perdrait le contrôle. *Ne pas* perdre la face ou le dessus. *Ne pas* se faire avoir ou contrôler. *Ne pas* être rejeté ou pris en défaut. *Ne pas* être blessé. *Ne pas* subir d'échec. *Ne pas* avoir tort. Est-ce que ça vous dit quelque chose ?

Y aurait-il par hasard un *ne pas* caché dans votre désir ? Une intention qui vous garde en lutte contre ce que vous vivez et rencontrez ? Si oui, en vous soudant négativement à ce qui vous habite et vous entoure, elle bloque votre flot *créacœur* et votre ouverture. Elle empêche ainsi toute possibilité nouvelle de répondre à vos vœux les plus chers. Et, même si vous réalisez ou obtenez ce que vous désirez, elle vous interdit de vous en réjouir et d'en jouir.

Heureusement tout n'est pas perdu ! Les inventions amoureuses du Cœur Créateur sont alimentées par la totalité de vos expériences, n'est-ce pas ? Les stagnantes, les polluantes, les malodorantes, les violentes et les peu alléchantes itou. Ceci étant dit, aimeriez-vous que l'incroyable Hulk devienne votre allié ? Que Darth Vader vous libère de la camisole de force de vos combats stériles ? Que vous puissiez récupérer leurs énergies pour vivifier vos courants intérieurs et vos interactions ? Oui ? Comme votre linge sale dans l'eau savonneuse, vous n'avez qu'à faire baigner tous vos *ne pas* dans une intention créacœur. Son eau limpide et fluide blanchira ces aspects sombres. Elle les transformera même en vitalité éclatante. Qui dit mieux ?

Pour pratiquer cette alchimie, vous devez exprimer ces *ne pas* dans le but de *vous* libérer, de *vous* ouvrir et de participer à la vie qui vous entoure. Et non dans le but de contrôler, d'humilier, d'obliger, d'invalider ou d'assommer qui ou quoi que ce soit. Oui, je sais, c'est tellement tentant des fois. Mais pas si brillant que ça. Vous ne réussissez alors qu'à solidifier vos propres résistances à l'autre, donc aux possibilités du Cœur Créateur et à ce que vous désirez le plus. Ôôôh !

Même si ce périple dans l'ombre n'est pas de tout repos, vous avez tout intérêt à vous y engager. Cacher ou agir inconsciemment ces intentions anti-flot vous maintient dans des impasses et des malaises sans fin. Le meilleur de vous stagne et dépérit. Au contraire, démasquer et donner un bain de lumière à ces *ne pas* leur enlève tout pouvoir sur vous et sur les autres. Du coup, vous récupérez la manne d'ingéniosité, d'amour et de vitalité qu'ils emprisonnent. Comme

Luke Skywalker dans *La Guerre des étoiles*, en retirant son masque à Darth Vader, vous le privez du support vital que celui-ci représentait pour lui. Tandis qu'il meurt alors dans vos bras, son corps disparaît pour ne faire qu'un avec la Force. Vous devenez un canal encore plus vaste et plus profond pour le Cœur Créateur.

En les exprimant avec la charge qu'ils contiennent, dans l'intention de co-aimer et co-créer avec ce grand Cœur ingénieux, vous serez délivrés des insatisfactions et des privations dans lesquelles ils vous maintiennent. Vous vous sentirez alors animés de l'intérieur et ouverts sur l'extérieur. L'opposé d'être en guerre contre l'extérieur et embarrés, éteints à l'intérieur.

Pour faire cette culbute salutaire, il vous faut donc appliquer un *Qui* et un *Pourquoi* bien intentionnés à ces *Quoi* de mauvaise réputation — comme le ressentiment, l'hostilité, la jalousie. L'important, c'est que vous le fassiez avec cœur. Et, avec le désir d'être un conduit pour la vie qui cherche à circuler en vous et dans vos parages. Dans les pratiques à la fin du chapitre, vous aurez l'occasion de vous exercer à faire cette culbute.

Mais vous ne partez pas à zéro ici. Dans les pratiques précédentes, vous avez déjà fortifié et fait grandir le meilleur de vous, c'est-à-dire vos *Qui* et vos *Pourquoi* créateurs et amoureux. *L'accept'amour* nourrit votre voix fondante et doudoune, celle qui vous réconforte, vous apaise et vous dépose tendrement dans l'instant. La vérité vous ancre dans votre présence vivifiante, certifiée organique. Les questions *créacœur* font scintiller votre Étoile Polaire. Cette dernière donne une direction créatrice à vos passages épineux pour que vous puissiez y découvrir des perles. Le choix de recevoir du bon, du beau et du nouveau, à partir de tout, donne de l'ampleur et de la richesse à vos mouvements, à votre respiration et à vos neurones pour que vous dansiez comme une star avec tout ce que la vie vous présente. *L'écoute-création* et *l'écoute-connexion* mettent votre corps, votre cœur et votre esprit en ondes libres, sur le même poste de radio que vos proches et que les inspirations de DJ Allegro. Enfin, les rituels profonds et folichons proposés ici développent votre génie enjoué, poétique et plein de feux d'artifices pour suivre les chemins trop peu fréquentés du Cœur Créateur.

Voici un bel exemple de cette transformation de l'ombre par un *Qui* et un *Pourquoi* bienveillants. Anna participe à un atelier *d'Improrelations*. On explore ensemble ses résistances face à Anton, un homme du groupe. Un élan la prend soudain par surprise. Et lui ouvre le cœur d'un seul coup. Les yeux dans l'eau, elle regarde Anton comme si elle le voyait pour la première fois. D'une voix tendre et désolée, elle lui confie : « Ohhh, je viens de réaliser à quel point je te juge, moi qui ai tant souffert d'être jugée... Je te demande pardon ». Allégée de la pollution de ses jugements, réchauffée par la vérité du cœur qu'elle vient d'offrir à Anton, Anna dégage une incroyable douceur. Ses yeux brillent comme un sapin de Noël tout illuminé. En quelques minutes on vient tous de passer dans un autre monde. L'atmosphère du groupe change du tout au tout. Un silence sacré remplit la pièce. Chacun s'imprègne de la connexion invisible et mystérieuse qui nous relie maintenant dans un Tout vibrant. Plusieurs expriment ensuite à quel point cette expérience les a touchés, ébahis, enrichis.

Si vous les assumez à partir d'un *Qui* et d'un *Pourquoi* aussi bien intentionnés que ceux d'Anna, vous recevrez vos ombres comme des cadeaux et vous offrirez comme des dons la vitalité et les trésors qu'elles emprisonnent.

Vous déboucherez alors sur l'aller-retour libérateur de la *pressence*. À votre grand soulagement, vous transformerez vos travers en dons humanitaires. Vous cesserez d'être votre pire ennemi. Vous vous sentirez en sécurité. Comme par magie, vos plus beaux élans jailliront en plein cœur de l'ombre et des possibilités nouvelles surgiront des endroits les plus décriés en vous. Ils vous donneront un second souffle. Vous pourrez enfin jouir du meilleur de vous, cette part qui fait les choses par amour. Gratuitement. Pour la joie pure et simple de contribuer à l'émergence et à la diffusion parmi nous du beau, du bon, du vrai, de l'ardent, du tendre, du libre, de l'inédit, du savoureux.

Rencontrez maintenant Roxane. Cette petite blonde, au sourire désarmant, à l'esprit affamé de connaissances et aux neurones à combustion rapide, nous donne une illustration colorée de cette alchimie si fructueuse. Celle qui transforme les *ne pas* rebelles en *oui et* consentants. Un beau matin, elle arrive chez moi en catastrophe. Elle doit remettre sous peu un travail en philo et elle se sent aussi paralysée qu'un bateau prisonnier des glaces. Pas moyen de tirer quoi que ce soit de son cerveau, il est blanc comme neige !

Ne perdons pas une minute ! Déjouons son mental amidonné et remettons son énergie en mouvement en faisant sortir de l'ombre ce qui l'entrave. Quoi de mieux que la danse des petits monstres pour accomplir cet exploit. Je lui lance d'abord une de mes pantoufles poilues — ornée d'une tête de monstre plutôt sympathique — et je l'invite à me la relancer spontanément. Et rebelote ! Après quelques encouragements de ma part, elle entre dans le jeu en riant aux éclats. Je l'incite alors à laisser s'exprimer ouvertement la partie d'elle responsable de son verglas intérieur. Elle me lance de plus en plus vigoureusement son petit monstre et me crie : « Non je ne ferai rien, je n'écrirai rien, je vous déteste tous, vous ne méritez pas que je fasse le moindre effort pour répondre à ce que vous me demandez !!! » Surprise par ses propres révélations, elle renchérit : « Je ne joue pas si je ne suis pas certaine de réussir et d'être la meilleure… »

Une fois sa Reine des glaces sortie de l'ombre, Roxane verse quelques larmes. Elles achèvent de déverrouiller son esprit, dégeler son corps et faire fondre son cœur. La joie qui émane de son visage est belle à voir. Comme par enchantement la vivacité de son intelligence est réapparue. Le moment me semble parfait pour canaliser cette nouvelle vie dans sa soif de connaissances et son plaisir d'apprendre. J'en profite pour lui faire voir les avantages de ses failles dans sa quête de savoir. Comment découvrir du nouveau si on est déjà parfaite ou si on doit dès le départ être la meilleure ? Me croirez-vous ? Non seulement elle a obtenu d'excellentes notes pour son travail de philosophie, mais elle a retrouvé la joie d'apprendre. Elle est aussi devenue plus clémente envers elle-même et donc plus libre.

Comment reconnaître vos *ne pas* trouble-fêtes

Vérifiez les réactions que l'histoire de Roxane a soulevées en vous. Êtes-vous réjouis, réconfortés, allumés ? Y a-t-il une part de vous qui aurait plus ou moins résisté à entrer dans la danse des petits monstres ? Avez-vous eu des objections du genre : « Si elle pense qu'elle peut me mener par le bout du nez comme elle le fait avec Roxane, elle est mieux d'aller se rhabiller ! Je n'embarquerai pas dans son monde comme ça, moi… » Ou bien : « Pas question que je me fasse avoir en participant à un exercice de pantoufles aussi débile, cucul, gaga… De toute façon, mon cas est tellement spécial… » Ou alors : « Franchement je suis plus évolué que ça. À part de ça, j'en ai pas des *ne pas*, moi… » Ou encore : « Ce n'est pas moi le problème, alors ce n'est pas à moi de lancer des pantoufles à qui que ce soit ! »

Si vous saviez ce que vous manquez ! Comme Roxane, en vous braquant contre les invitations de l'autre ou en refusant les clins d'œil de la vie, vous bloquez votre propre flot. Du même coup, vous vous barricadez dans vos travers, vos lourdeurs et vos noirceurs. Tout devient tellement sérieux et compliqué ! Pas la moindre lueur de joie ou d'espoir à l'horizon. Vous venez de faire un sacré bon coup, n'est-ce pas ?

Comme je vous l'ai dit tantôt, résister est le contraire d'un *oui et*. C'est un *ne pas*, souvent déguisé en *oui mais*. Un refus de participer pleinement à la danse de la vie et de votre entourage. Ce refus fait barrage à vos propres impulsions amoureuses et créatrices. Entre le *oui* et le *mais*, votre flot *créacœur* s'étrangle, votre *pressence* se fane, votre vitalité caille, votre amour surit, vos inspirations moisissent, votre joie s'affadit.

Ces *ne pas* sont des intentions anti-flot adoptées depuis belle lurette en réaction contre votre entourage. Elles sont un pis-aller : à ce moment-là, vous n'aviez pas d'autres moyens d'influencer favorablement votre milieu de vie. Depuis, vous les gardez vissées solidement en place sous toutes sortes de prétextes : ne pas être blessés, étouffés, diminués, détrônés, utilisés, rejetés, emberlificotés, contrôlés, ligotés, assujettis, envahis, bannis, écrapoutis, trahis, affaiblis, anéantis, cuits (j'ai essayé de ne pas oublier personne !). Pour ne pas être à la merci des autres, quoi ! Vous croyez ne pas pouvoir vivre sans ces *ne pas* parce qu'ils sont devenus pour vous une seconde nature. Ils se sont substitués à votre vraie identité et se font même passer pour elle. Même vous, vous y croyez ! Un vol d'identité en bonne et due forme…

Ces identités réactionnaires produisent pourtant l'effet contraire à celui souhaité. Elles sont la *crazy glue* qui vous cimente à vos misères. Le triangle des Bermudes de vos envolées et de vos rêves. Au lieu d'amener vos blessures au grand air pour les guérir, elles les perpétuent en les ignorant et en les bafouant. Elles engraissent aussi vos manques, confisquent votre liberté et vous embarrent dans la chambre des tortures de votre mental isoloir. Comme des mauvais sorts, elles font ainsi des ravages dans vos vies. Tant qu'elles sont actives, ça ne peut pas être autrement : elles se goinfrent de malheurs, prolifèrent dans les cercles vicieux, prennent du poids dans le drame et se font des muscles dans la guerre.

Voyez comment on se prive instantanément de la *pressence* qu'on refuse d'offrir : « Vous repoussez mes élans, mes besoins, mes sentiments, mes inspirations ? Ah ! Ah ! Qu'à cela ne tienne, je vais les réprimer, les éteindre, les trafiquer moi-même ! Plus personne ne pourra les rejeter ou les contrôler ! Pfffuit ! Ils sont partis en fumée... Oups ! Et moi avec... Je ne ressens plus rien pour vous... Oh ! Plus rien du tout ! »

Aucune réelle réciprocité, aucune danse ravigotante, aucune pollinisation créatrice ne sont alors possibles entre vous et le monde.

Attention ! Ne pas confondre ces *ne pas* avec des limites saines. Dans le cas d'un *ne pas*, vous êtes fermés comme une huître, braqués comme un frein à bras. Occupés à contrôler ce que vous vivez et rencontrez, vous répétez en boucles les mêmes comportements stériles. Vous voilà excommuniés de l'instant, privés d'amour, amputés de vos inspirations créatrices. Bref, l'inverse de l'état de grâce ! Dans le cas d'une saine limite, vous dites *non* à ce qui ne vous convient pas pour dire *oui* à ce que vous êtes réellement. Dans le but d'ajouter vos pas authentiques et uniques à la chorégraphie d'ensemble. Vous embrassez et offrez votre vérité pour évoluer en accord avec vous-mêmes et avec la vie. Tout le contraire de la stagnation ! Vous vous sentez ouverts et vulnérables car vous vous mouillez en prenant le risque de perdre le contrôle ou l'approbation de l'autre. Paradoxalement, vous êtes plus solides que jamais puisqu'enracinés dans le sol de votre vérité.

Une fois de plus, le *Qui* et le *Pourquoi* changent tout. Vous pouvez dire « *non* » ou « *tu m'énerves* » avec amour, pour être proches de vous-mêmes et des autres. Vous pouvez aussi dire « *oui* » ou « *je t'aime* » pour séduire, esclavager l'autre ou carrément vous en débarrasser.

Vous le savez maintenant (et si vous ne le savez pas, mmm… un *ne pas* fait peut-être la baboune à cette donnée incontournable), vous braquer contre l'entourage, c'est bloquer le flux spontané de votre *pressence*. Le pire, c'est qu'une fois détourné de son cours naturel, ce beau courant prend une forme négative et se retourne contre vous : angoisses, aigreurs, sentiments d'exclusion, insatisfactions chroniques, tensions, obsessions, jugements, déprimes.

Ce tour de passe-passe se fait d'ailleurs dans les deux sens : dès que vous entravez un de vos élans, créateur ou amoureux, vous créez une dualité, un conflit à l'intérieur de vous. Étant donné que vous en êtes inconscients, ce conflit se projette sur le monde extérieur. L'autre devient alors un adversaire, un ennemi. Ce qui vous donne raison de lutter contre lui en réprimant vos élans en sa présence. C'es-tu assez bien fait !

Pour vous en faire un portrait éloquent, voilà en cascade les effets de ces intentions trouble-têtes et trouble-fêtes. Non seulement sur votre flot *créacœur*, mais aussi sur votre perception de l'entourage. Vous n'aurez plus de doute : vous battre contre ce qui se passe en vous et autour de vous, vous emprisonne dans des cercles vicieux et dans un monde hostile.

Oyez, oyez ! Sous prétexte de ne pas se faire avoir ou blesser, certains (pas vous bien sûr !) se retirent dans leurs châteaux forts pour priver l'entourage de leur présence. Une fois le pont-levis relevé, les voilà pris au piège. Ils se sentent étouffés, isolés, à l'étroit. Pour justifier leurs retraites fermées, ils doivent alors percevoir les autres comme envahissants ou menaçants. Justification oblige ! Afin de ne pas donner prise à ces affreux malades, ils doivent réprimer leur flot *créacœur*, s'en privant du même coup. Dès lors, la disette et la sécheresse s'installent dans leur forteresse. Ce qui leur donne l'impression de se faire avoir... ça y est, c'est r'parti ! Pourtant, ce qu'ils ont de plus beau, de plus sensible et de plus vrai n'attend qu'un baiser de leur part pour se réveiller et les combler.

Sous prétexte que personne au monde ne peut les comprendre ou les traiter à leur juste valeur, certains (ne partez pas en peur, on sait tous qu'il ne s'agit pas de vous !) cherchent à trôner au-dessus des autres et à les prendre en défaut. Sans répit ils doivent lutter pour rester sur le dessus de la pile... en pilant, en crachant même sur leur vraie nature. Vedettariat oblige ! Des sentiments de honte et d'imposture règnent alors en maîtres chez eux. Pour ne pas être pris en défaut à leur tour, ils se condamnent à répondre à des attentes exceptionnelles et... insatiables. Tout en résistant à le faire, bien sûr. Ils ne vont quand même pas donner leur vraie présence à qui ou quoi que ce soit. Les voilà figés sur leur trône comme des statues de cire. Impossible pour eux de se rapprocher des autres, vu qu'ils les perçoivent comme des compétiteurs malveillants auxquels il est dangereux de s'ouvrir. S'ils le font, ils vont se faire diminuer ou humilier, garanti ! Esseulés, ils repartent de plus belle dans leur quête d'admiration. Pourtant, leur vraie nature est déjà parfaite telle qu'elle est. Elle n'attend qu'un regard tendre de leur part pour s'épanouir et les réconcilier avec eux-mêmes.

Sous prétexte qu'ils ont été maltraités par la vie et qu'ils sont marqués à vie, certains (aucun rapport avec vous, évidemment !) exigent qu'on les prenne en charge et qu'on fasse leur bonheur. Pour réussir cette tâche délicate à souhait, ils doivent se déposséder des ressources naturelles de leur flot *créacœur*. Ils se voient alors possédés par la peur d'être à la merci de tous ces faux frères qui risquent de les manipuler, les trahir et les abandonner à répétition. Ce qui les justifie de garder en jachère le meilleur d'eux-mêmes. Victimisation oblige ! Les voilà déclarés invalides à vie. L'ennui, le manque d'estime et l'amertume établissent leurs quartiers généraux chez eux. Ils vivent constamment en attente, espérant en vain qu'un ange désœuvré, un bon génie égaré ou un mécène à l'article de la mort vienne *in extremis* à leur rescousse. Ils sont déçus encore et encore. Pourtant, leurs dons et leur savoir-vivre naturels ne demandent qu'un p'tit coup de main de leur part pour éclore au grand jour.

Sous prétexte que ce n'est pas leur faute s'ils sont mal pris, certains (ne vous sentez pas concernés, je vous en prie !) cherchent à blâmer et punir les autres pour leurs propres déboires. Question de faire payer ces coupables qui les empêchent de s'épanouir, ils entretiennent religieusement leurs malaises et leurs problèmes. Ils répriment avec brio leur joie et leurs plus beaux mouvements pour ne rien donner de bon à ces horribles fripouilles et surtout ne pas faire leur bonheur. Ressentiment oblige ! Ils perpétuent ainsi leur propre misère. Les voilà punis à leur tour. Et pourtant, leur bien-être pourrait grandir en paix s'ils consentaient à le prendre sous leur aile.

Sous prétexte que la vie ou leurs proches entravent leurs élans en n'y répondant pas comme ils le désirent, certains (dont vous ne faites pas partie, c'est clair !) prennent plaisir à faire du boudin dans leur coin. Pour pratiquer ce passe-temps favori, ils doivent brimer leur propre flot. Pas question d'offrir à ces agents de désenchantement quoi que ce soit de spontané et de vibrant. Fâcherie oblige ! Mieux vaut cesser de participer, quitte à s'éteindre soi-même et à déprimer. Les voilà à moitié morts avant l'heure. La hargne et la frustration ont alors le champ libre pour semer le trouble dans leur for intérieur. Pourtant, leurs élans espèrent une simple permission de leur part pour leur redonner vie et espoir.

Sous prétexte qu'ils ont subi des injustices et qu'on leur doit réparation, certains (on ne parle pas de vous ici bien entendu !) exigent qu'on monte à leur chambre, sur un plateau d'argent, ce qu'ils veulent, quand ils veulent, comme ils veulent. Pour continuer à réclamer leur dû, ils doivent lever le nez sur tout ce qui risque de les combler en croyant dur comme fer que ce n'est pas bon ou pas assez. Les voilà réduits à convoiter toujours davantage sans jamais se contenter. Ils ont constamment la sensation d'être floués, maltraités. Insatisfaction chronique oblige ! Ils doivent alors voir les autres comme de perpétuels sous-fifres incompétents. Pourtant, leurs besoins et leurs désirs réels attendent simplement d'être embrassés par eux pour sourire de contentement.

Qui et *Pourquoi* créent notre monde dans l'invisible

En avez-vous plein le casque de ces descriptions apocalyptiques ? Pas évident de faire face à tous ces comportements et à leurs effets troubles, n'est-ce pas ? C'est vrai, ce rendez-vous dans nos sombres soubassements est une tâche exigeante et pas toujours rigolote. Pourtant, moins vous vous blâmez ou vous tapez sur la tête, plus vite vous en sortez ragaillardis.

Pour y parvenir, ça prend du courage, de l'authenticité et de l'humilité, c'est sûr. Sans oublier une bonne dose de compassion. Mais ne vous inquiétez pas si vous avez l'impression de ne pas posséder ces nobles attributs. Comme je l'ai écrit dans *Bungee, Vibrato et Tango*, reconnaître son manque de courage, c'est déjà du courage. Assumer son désir d'être au-dessus des autres débouche sur l'humilité. Dévoiler sa soif de vengeance ouvre à l'amour. Dénoncer ses fuites rend présents. Avouer son besoin de cacher ou de trafiquer la vérité, c'est de la transparence, de l'authenticité.

Ça vaut drôlement la peine ! Embrasser et libérer tout ce qui bloque votre flot *créacœur* vous rapportera au centuple. Ces tâches à l'interne éveillent en vous des énergies et des dons merveilleux dont vous ne soupçonnez même pas l'existence. Elles produisent des ondes bienheureuses dans votre corps vibrato et dans le champ de vos interactions. Vous pouvez alors jouir allègrement des harmonies de DJ Allegro.

Pour vous affranchir de cette manière, vous devez passer un accord avec vous-mêmes : être prêts à libérer votre flot *créacœur* face à tout ce que vous rencontrez. Autrement dit, vous engager à explorer vos propres barrières mises en lumière par ce que vous frappez à l'extérieur. Esquiver ce travail d'excavation, c'est vous condamner à ne jamais tremper dans les courants vifs, profonds et opulents de la *pressence*. C'est creuser un fossé de plus en plus inquiétant entre vous et vous, vous et la vie, vous et le monde. C'est donc vous confiner à une vie insatisfaisante.

Comme les gens reçoivent implicitement *Qui* vous êtes, qu'ils perçoivent subtilement vos intentions cachées derrière ce que vous dites ou faites, ils répondent à ce message tacite. Changer le *Qui* et le *Pourquoi* transforme ce message. C'est ce qui change leurs réactions à votre égard.

Raphaëlle, une entrepreneure découragée de la non-collaboration de ses employés, a été à même de le vérifier en plein cœur de l'action. Pour agir positivement sur cette situation, elle a d'abord dû voir *Qui* en elle concourait à ce manque coopération chez eux. Et, ensuite,

Pourquoi. Voici l'effet que son changement d'identité et d'intention a produit : « D'habitude, j'invalide les autres en catimini pour garder le dessus, en faisant semblant d'être ouverte pour avoir ce que je veux. Quand je choisis d'être réellement disponible sans jugements, c'est fou, tout bascule. Pourtant je ne fais rien de différent à l'extérieur. L'autre jour, j'ai cessé de juger et de blâmer dans ma tête une employée qui est habituellement rebelle. Je lui ai parlé et je l'ai écoutée. Mais, cette fois, en voulant établir un vrai contact entre nous. Elle recevait facilement ce que je lui proposais. Et ça coulait entre nous. Ça m'a tellement étonnée. On est arrivées à des solutions inattendues et satisfaisantes pour les deux. »

Ce n'est pas sorcier, par son non verbal Raphaëlle, à son insu, transmettait ses jugements à son employée. En s'ouvrant réellement à elle, Raphaëlle l'a traitée comme une personne à part entière et lui a donné son importance. Cette dernière l'a perçu implicitement et a répondu de la même manière.

Voyez comment Ralph lui aussi transforme son monde. Cet homme d'affaires affable — tellement affable qu'il est au bord d'une faillite personnelle et professionnelle — me demande pourquoi il rencontre tant d'obstacles. Ses enfants sont hostiles, sa femme est insatisfaite de lui et ses clients sont résistants à ce qu'il leur propose. Au secours ! Je l'amène sans tarder à voir ses difficultés comme des échecs *créacœur*. Des invitations à laisser mourir l'identité surannée qui entrave sa vraie présence. Des appels à vivre ce qu'il désire tant : des relations vivantes, amoureuses et fructueuses avec ses proches.

Qui, en lui, peut bien être complice de ces adversités ? Et *Pourquoi* ? Oh surprise ! Ralph découvre, au fin fond de lui, un semeur de troubles aussi rebelle que son entourage. Ce petit malin est caché derrière le bon gars qui fait supposément tout pour rendre ses proches heureux.

En réalité, ses bonnes actions sont la plupart du temps motivées par son besoin de prouver sa supériorité. Il évite ainsi de se mouiller avec tout ce qu'il est, gentil ou pas. Aucun danger alors de perdre l'approbation des autres. Aucun risque de se planter ou de faire face au rejet. En fait, Ralph est la réincarnation parfaite de *Papa a raison*, avec une faille cependant : il veut toujours avoir raison.

Prenant son courage à deux mains, il affronte le *ne pas* puissant qui agit dans l'ombre de sa gentillesse : « Je vais faire en surface ce que vous attendez de moi pour que vous me trouviez bon. Mais ça me fait chier de toujours répondre à vos attentes, alors vous ne m'aurez pas ! » Sous ses dehors débonnaires, Ralph est aussi difficile à percer qu'un coffre-fort. Aussi buté qu'un enfant de deux ans qui refuse d'avaler ses épinards. Son besoin d'être admiré et son refus de donner sa vraie présence se manifestent par des engagements faits à moitié, en dents de scie. Une fois sa valeur prouvée, il perd tout intérêt. La mémoire même. Ou encore il fait à sa tête, mine de rien.

Par quelle culbute cet incorrigible bon gars peut-il transformer ce *ne pas* ? En assumant d'abord les deux pôles, décrits plus haut, entre lesquels il coince sa *pressence*. En faisant ensuite le choix d'épouser tout ce qu'il est. Pas évident. Ça implique beaucoup de choses pour lui. Se laisser toucher par ses proches. Transformer son ressentiment en passion créatrice et amoureuse. Accepter ses limites. Révéler sa vérité vibrante, agréable ou pas. Oser suivre ses élans quitte à être dans le champ. Sans parler d'embrasser l'inconfort de l'inconnu et de perdre les repères et les avantages sociaux de sa vieille identité. Mais que voulez-vous, quand on est bon, on est bon partout, alors Ralph relève le défi. Pour l'accompagner, outre mes outils habituels, j'aurai recours tour à tour à la danse des cœurs sous mes pieds (ce qui lui permettra de laisser entrer en direct une bonne dose d'amour), à mes chandelles d'anniversaire pour souligner ses bons coups (il fondra en larmes devant ce geste de reconnaissance si simple) et à des improvisations musicales en duo avec lui (ça l'amènera à sortir de sa bulle et de son besoin de performer pour participer d'une manière enjouée et vibrante au mouvement de l'autre).

Ce sera une joie pour moi de voir sa présence réelle, chaude et solide se dégager peu à peu de l'étau de son conflit intérieur. À chaque fois, son corps dégèle et prend vie. Sa voix descend de quelques octaves et ses yeux brillent comme des réverbères dans la nuit. Du même coup, Ralph retrouve son humour. Il ne voit plus et n'aborde plus son petit monde de la même manière. Ses enfants, sa blonde et ses clients s'ouvrent et bougent alors en réponse à ses intentions limpides. Ce qui ne veut pas dire qu'ils répondent toujours comme il le désire au départ. Mais, au fur et à mesure qu'il s'assume, se révèle et se dépasse, ses proches deviennent plus vrais, amoureux et engagés avec lui.

Comme la plupart, avant d'adopter pour de bon sa nouvelle identité, Ralph fait des aller-retour entre son vieux monde et son nouvel univers. Dans ses moments de recul, il renfile sa vieille peau de performeur inatteignable. Il se coupe ainsi de son flot et se ferme à son entourage. Il redevient regimbeur, rébarbatif. Il recommence à se juger, ce qui le justifie de ne pas donner sa vraie présence. Le parfait cercle vicieux !

Mais quand Ralph plonge dans sa vérité et s'aventure dans l'inconnu, il voit apparaître les mille et une possibilités orchestrées par le Cœur Créateur. Le plus beau, c'est qu'il les saisit au vol pour créer son nouveau monde. Alors que je lui chante une version *poético-humoristico-blues-ée* de l'entrevue que nous venons de faire ensemble, il me dit en pleurant : « Ça me touche que tu m'offres généreusement tes élans, ça me donne le goût de suivre les miens. Ce soir, je vais masser les pieds de ma blonde, juste pour le bonheur d'être là pour elle. Elle sera tellement contente. » Enfin, ce faux bon gars vient de retrouver sa bonté réelle, vivante et contagieuse. La preuve ? Je suis moi-même touchée aux larmes.

Avant de se glisser définitivement dans sa nouvelle peau, Ralph exprimera à quelques reprises ses *ne pas* dans une intention créatrice et amoureuse. Pour sa plus grande joie et celle de son entourage. Aux dernières nouvelles, ça se passe à merveille avec sa blonde, avec ses enfants et dans ses affaires.

La magie de la *pressence*

Ralph n'est pas le seul à s'agripper ainsi à ses malheurs. Tellement de gens entretiennent leurs malaises en refusant aux autres le flot vif de leur *pressence*. Ils le retiennent sous prétexte de se défendre ou de se préserver. Une vraie épidémie ! Malheureusement, ils ne sont pas au courant que ça crée exactement l'inverse. Que c'est impossible d'être comblés et libres lorsqu'on ferme ses portes au nez du monde qui nous entoure. Ou qu'on réagit contre ce qu'il nous fait vivre.

Pourtant, quand elle est partagée, cette richesse intérieure qu'est la *pressence* fait toute la différence. Elle transforme une rencontre ordinaire en rencontre extraordinaire où il y a une vraie connexion et des découvertes mutuelles. Un moment habituel en moment mémorable qui nous marque. Un spectacle correct en spectacle exceptionnel où chacun est touché et inspiré.

La preuve ? Après un travail sur leurs intentions et leurs attitudes, plusieurs artistes que je guide sont émerveillés de voir comment, en offrant sans calculs leur *pressence*, ils touchent et soulèvent leur public.

Je leur rappelle alors que c'est le cœur, avec sa ferveur, sa limpidité, ses intuitions, sa fertilité et son ouverture, qui crée cette magie. Et qui permet aux connexions inespérées de la *pressence* de faire leur œuvre.

En explorant leurs intentions cachées, d'autres artistes osent s'aventurer plus loin dans l'inconnu. Ils élargissent ainsi leur registre et leur qualité d'expression. Comme Ève, une écrivaine qui boudait les dialogues dans ses romans, comme s'ils n'étaient pas dignes de figurer dans la langue française… jusqu'à ce qu'elle découvre ce que ce refus masquait. Comment a-t-elle procédé ? Elle s'est demandé *Qui* en elle résistait aux dialogues et *Pourquoi*. Voici sa réponse à *Qui* : « Celle qui se croit au-dessus de ceux qui, selon moi, tombent dans la facilité des dialogues parce qu'ils n'ont pas assez de style. Elle l'a l'affaire, elle ! Elle se tient aussi au-dessus de ses personnages, et ne veut pas s'ouvrir pour découvrir ce dont ils ont besoin pour s'épanouir. Exactement comme avec les gens dans ma vraie vie. » Et sa réponse à *Pourquoi* : « Pour cacher ma vulnérabilité vis-à-vis cet aspect de mon métier que je ne maîtrise pas. Pour ne pas avoir à aller dans l'inconnu et apprendre de nouvelles choses, quitte à être gauche. »

Elle m'avoue plus tard : « Je n'en reviens pas ! Les dialogues sont devenus le cœur battant de mon roman. Tout ce qui se joue d'essentiel entre les deux personnages principaux passe par ce canal relationnel. »

Je ne le répéterai jamais assez : priver les autres du meilleur de soi, c'est s'en priver soi-même. Entraver la chorégraphie relationnelle qui nous relie dans l'instant, c'est entraver son prochain pas *créacœur*. Pourtant j'ai souvent droit à des froncements de sourcils ou à une moue désappointée lorsque j'annonce la nouvelle à mes participants. « Hein !? Je ne peux pas m'épanouir, jouir de ma vie et rester en lutte contre le monde ? Je ne peux pas garder le meilleur juste pour moi ?! »

Eh non ! Vouloir garder sa vraie présence juste pour soi ou la camoufler, c'est la mettre en cage. Elle ne vibre plus, ne chante plus, ne danse plus. Elle n'émet plus d'ondes bienheureuses et contagieuses. La part de nous qui la garde en otage réside dans le mental isoloir, et non dans le corps vibrato où le flot de la *pressence* enrichit nos vies.

Ce que ça donne cette retenue à la source ? Au lieu du jeu de tague que je vous ai décrit au chapitre précédent, imaginez une joute de hockey où la rondelle représente le flot *créacœur* en mouvement. Une partie de hockey où, au lieu de se passer la rondelle pour la lancer dans le filet, chacun s'ingénie à l'intercepter. À la cacher même, hors de portée des autres joueurs. Pour les empêcher de gagner ou s'éviter toute possibilité de perdre. Drôle de jeu, n'est-ce pas ?

Au secours, je suis libre !

S'ils emprisonnent ainsi notre *pressence*, pourquoi on s'accroche à ces *ne pas* ? Pourquoi on s'y agrippe comme à un organe vital ? Comme je vous l'ai déjà dit, on croit que ces *ne pas* sont notre véritable identité. On craint alors qu'il n'y ait que du vide en dessous. Aussi fou que d'avoir peur de se libérer de la crampe qui nous broie le mollet, sous prétexte qu'en la lâchant, notre mollet va disparaître... Parce que ces *ne pas* nous donnent aussi une illusion de toute-puissance et de solidité. Ils nous font miroiter que, sous leur règne, on peut contrôler la vie, éviter tout risque d'échec, de vulnérabilité, de souffrance. Enfin, parce qu'on veut avoir le beurre et l'argent du beurre. Ne pas payer le prix de nos choix, de nos réalisations et de nos transformations.

C'est le cas de Nathan qui me lance un appel au secours au moment même où la roue du succès commence à tourner pour lui : « Je sens que je suis sur le point de tout gâcher, aide-moi ! » Avec sa méfiance et ses exigences impératives, ce danseur talentueux ruine habituellement ses chances de percer dans le milieu. Intriguée, je lui demande ce qui le pousse à tout vouloir saboter. Il me répond, en essayant de retenir un sourire vainqueur : « Parce qu'on peut toujours réussir à gâcher les choses. On sait exactement où ça va mener, c'est un succès garanti ! Pas besoin d'être vulnérable, aucun risque de perdre. »

Comme vous le voyez, l'abandon et la liberté d'être font paniquer un peu, beaucoup, à la folie, les fausses identités du mental isoloir. Échafaudées sur des *ne pas*, habituées au contrôle, enfermées dans leur capsule isolante et emmitouflées dans la douillette de leurs certitudes, elles capotent littéralement ! Plutôt que de participer au monde du Cœur Créateur, elles tentent de sauver leur peau. Elles nous font croire que si on s'ouvre ainsi, il va arriver quelque chose de terrible… c'est une question de minutes… de secondes… ça y est, tout est perdu… En fait, tout ce qu'on perd, ce sont leurs crampes et leurs illusions.

Pour rester en vie, ces fausses identités multiplient les drames et recyclent nos problèmes. Elles oscillent entre faire des éclats et faire pitié. Blâment allègrement, jugent abondamment, crient à l'injustice. Elles drainent notre énergie, obnubilent notre attention, font du sur place. Elles projettent partout leurs intentions douteuses et tombent en grève lorsque ça ne marche pas comme elles veulent.

Cette procession sans fin de dangers potentiels et de traumatismes passés nous barre le chemin vers le moment d'abandon qui aboutit inévitablement à du bon, du beau et du nouveau. Promis, juré, craché. Au moment de sa plongée dans le vide *créacœur*, un homme s'est exclamé : « Mon Dieu ! C'est un petit saut, un revirement intérieur qui débouche sur une grande douceur. »

Malheureusement, lorsqu'un contact bienfaisant, une heureuse découverte, une bonne nouvelle risquent de nous transporter au septième ciel, ces méduses de malheur se sentent menacées d'extinction. Elles s'empressent alors de se projeter sur toutes ces bonnes choses. Elles nous les font voir comme horribles, ennuyantes ou dangereuses. Pas question qu'on s'y abandonne ! On leur trouve toutes sortes de défauts, réels ou non. On en profite pour se barricader, ce qui, bien sûr, nous rend misérables. Incroyable !

En voici une illustration frappante. Georges, un client de longue date, arrive en retard à son rendez-vous, la mine contrite. Il me jette un coup d'œil par en dessous. Je m'informe de ce qu'il cherche chez moi. Il m'exprime alors sa crainte.

— J'ai peur que tu sois fâchée.

Je ris :

— J'ai l'impression que tu souhaites presque que je le sois !

Il rit à son tour et m'avoue qu'il aurait facilement pu arriver à temps. Qu'il s'est arrangé pour ne pas le faire. Je mets cette information dans mon sac à malices et l'invite à entrer.

Georges me parle alors de sa panique. Il l'attribue aux exigences et à la pression de sa nouvelle occupation. À l'impossibilité d'être lui-même dans un pareil contexte. Comme ses mots sonnent aussi creux à mes oreilles qu'une vieille casserole bosselée sur laquelle on frappe, je lui demande ce qu'il ne me dit pas. Avec un sourire penaud, il me glisse furtivement qu'il met parfois des heures à faire ce qu'il pourrait faire en une heure.

Une lueur taquine dans les yeux, je sors de mon sac à malices l'information qu'il m'a si généreusement fournie à son arrivée.

— Et si on s'ouvrait à la possibilité que, comme tu l'as fait avec moi tantôt, une part de toi, accrochée à ce que tu connais, s'arrange pour ne pas faire ce que tu as à faire. Qu'elle te garde ainsi dans ta peur des autres et, par le fait même, dans tes réactions habituelles contre eux ?

Mi-déçu, mi-taquin, il me répond :

— Je me suis vendu en te disant ça au début !

Il me raconte ensuite en pleurant combien il a été touché l'après-midi même par l'appréciation d'un de ses collègues de travail. Il s'abandonne enfin à sa *siiiii* triste réalité : il adore ce qu'il fait, c'est ce dont il a toujours rêvé. Les gens avec qui il travaille l'inspirent, l'aiment et le soutiennent même. Imaginez les effets de cet heureux revirement sur son travail et son entourage.

De son côté, après avoir passé une audition où il a été plus libre que jamais, Pat m'explique ses réticences à se laisser aller à la joie qu'il ressent.

— Je suis ébranlé… On dirait que c'est trop fort pour ma tête, c'est beaucoup plus grand que mon contrôle.

C'est qu'en jouant son personnage avec un abandon total, Pat est passé de la barboteuse de l'ego à l'océan du Cœur Créateur. Transporté par des courants plus vastes, il a perdu les crispations de sa vieille identité. Il tente de s'y accrocher en retenant sa joie et sa gratitude devant cette liberté dont il rêvait pourtant depuis la nuit des temps.

Alors, êtes-vous maintenant prêts à changer d'identité pour transformer vos travers en dons humanitaires ? Êtes-vous disposés à goûter à la joie de faire bouger les gens et les choses au rythme des fluctuations de vos *Qui* et de vos *Pourquoi* renouvelés ? Suivez-moi !

L'INVITATION

Changez le *Qui* et le *Pourquoi* pour changer votre expérience,
vos rencontres et votre monde

LA RÈGLE D'IMPROVISATION

Exprimez vos *ne pas* dans une intention *créacœur* pour
les transformer en *oui et*

L'ESSENTIEL

Changer *Qui* agit en vous, et *Pourquoi*, change la qualité de votre présence, de vos interactions et de votre monde.

Embrasser vos aspects les plus noirs et les plus décriés dans une intention *créacœur*, vous rend vivants, amoureux et libres comme jamais auparavant.

Pour transformer vos travers en dons humanitaires, recevez-les comme des cadeaux et offrez comme des dons les trésors qu'ils emprisonnent.

Des élans et des inspirations qui vous connectent au Cœur Créateur jailliront alors en plein cœur de l'ombre. Le pire de vous perdra son pouvoir et vous donnera accès au meilleur de vous : votre *pressence*.

Celle-ci fait les choses par amour et s'exprime toujours pour la plus grande joie de tous.

L'art contagieux des intentions limpides

Pratiques hors champ

1- Pour transformer vos travers en dons humanitaires

Que diriez-vous d'embrasser un de vos *ne pas* dans l'intention d'alimenter votre flot *créacœur* et celui des autres ? Vous changerez ainsi vos crapauds et vos grenouilles en princes(ses) charmants(e)s.

Pour éclairer vos lanternes, voici quelques indices vous signalant qu'un de ces *ne pas* agit en catimini : rien de bon, de beau et de nouveau ne peut se passer ici et maintenant en vous et avec nous. Il y a des nœuds et des parasites dans votre énergie. Vous êtes démotivés et il n'y a absôôôlument rien à faire et qu'on ne vienne pas vous dire le contraire. Tout devient archi compliqué, stagnant, répétitif. Personne ne peut vous comprendre. Pas moyen de vous rejoindre. Impossible d'avoir des échanges vivants et inspirants avec vos proches.

Vous saisissez ? Oui, alors choisissez maintenant une situation ou une interaction à laquelle vous résistez. Parce qu'elle vous horripile, vous rend mal, ou vous prive de ce que vous convoitez. Derrière votre refus se cache un *ne pas* tenace. Ce *ne pas* maintient en place vos conflits et vos problèmes. Il vous évite de sauter dans l'inconnu et d'improviser du bon, du beau et du nouveau avec tout ce que la vie vous présente.

Faites d'abord tourner votre anneau en disant :

— *Je me permets de recevoir du beau, du bon et du nouveau de cette personne ou cette circonstance et de l'offrir en retour au monde qui m'entoure.*

Dessinez maintenant sur une feuille un symbole de cette adversité et une image sommaire de vous à ses côtés. Faites un grand cœur autour des deux. Puis, tracez une flèche en diagonale qui le traverse et le dépasse. À la pointe de la flèche, percez un trou avec votre crayon. Insérez-y un bout de papier enroulé sur lequel vous aurez représenté simplement un vœu qui vous est cher.

Mettez ensuite cette feuille en vue. Chaque fois que vous la regardez, répétez votre intention de vous permettre de recevoir du bon, du beau et du nouveau de cette situation.

Observez les inspirations, les réalisations et les mouvements intérieurs qui vous viennent. Suivez-les et mettez-les en pratique.

Peut-être êtes-vous trop en maudit pour faire cette pratique ? Offrez-vous alors une séance de sainte colère, dans l'intention de vous libérer et de participer à la vie qui vous entoure. Exprimez-la dans une séance d'écriture échevelée. Dans une danse endiablée. Une expression vocale musclée — *noooonmn !* — avec coups de pieds et borborygmes à l'appui. Un lancer spectaculaire du coussin ou du petit pois. L'important, c'est que vous fassiez cette séance dans un contexte inédit et interactif. En changeant le contexte, vous changez le *Qui* et le *Pourquoi*. Et donc, l'impact sur vous et sur votre monde.

Vous pourriez exprimer votre rage ou votre frustration en vous imaginant que les vibrations de votre voix vont réanimer une personne dans le coma. Ou alors que l'énergie qui se dégage de vos mouvements est captée par un appareil qui la transmet à une pompe hydraulique en Afrique. Ou encore que la force de votre résistance soulève une bibliothèque entière qui est tombée sur une vieille dame seule. Ne vous gênez pas pour inventer un contexte qui vous inspire ou qui vous fait rire. C'est le temps de laisser libre cours à votre imagination.

Pour savoir si vous êtes dans la bonne voie, vous n'aurez qu'à vérifier si ça vous allège. Si ça vous rend plus pétillants, ouverts, libres, motivés. Si oui, bravo !

Les jours suivants, lisez le journal. Qui sait, vous pourriez tomber sur un article qui décrit le fonctionnement exceptionnel d'une pompe hydraulique en Afrique, ou le réveil inespéré d'une personne qui était dans le coma depuis des années ?

Quand vous vous sentirez prêts, revenez faire la première pratique.

2- Pour transformer vos reproches en mine d'or pour tous

Vous êtes aux prises avec une situation ou une interaction épineuse qui vous fait fulminer ou stagner ? Vous reprochez au monde entier de vous brimer ou de vous heurter ?

Eh bien ! Eh bien ! Pour ceux qui l'ignorent encore, ce que vous reprochez le plus à vos proches — qui ne sont plus proches du tout à ce moment-là — ce sont vos propres *ne pas* inavoués.

Commencez donc par remercier ces faux frères de personnifier pour vous, et en trois dimensions, vos *ne pas* préférés. Vous pouvez ainsi les voir à l'œuvre et en sentir les effets sur vous. Quelle aubaine !

Puis, posez-vous la question suivante :

— *Qu'est-ce que cette personne ou cette expérience m'empêche de vivre, de réaliser ou de recevoir ?*

Par exemple, imaginez que vous reprochez à votre entourage de ne jamais vous apprécier. Demandez-vous :

— *Étant donné que telle ou telle personne ne me reconnaît pas, qu'est-ce que je ne peux pas être, sentir, réaliser ou exprimer ?*

Quand j'ai posé cette question à Ralph, notre *Papa a toujours raison national*, il a répondu : « Je n'en fais jamais assez à leurs yeux. S'ils m'appréciaient, je pourrais arrêter d'en faire autant et ce serait bien assez d'être ce que je suis. »

Vous l'avez saisi plus haut : Ralph désirait prouver qu'il est le meilleur. Il ne voulait et ne pouvait donc pas s'accepter tel qu'il est.

Même si ça vous semble absurde, assumez l'effet négatif que cette situation produit en vous comme si c'était exactement l'effet que vous désiriez obtenir.

Je ne veux pas être qui je suis. Il n'est pâââs question que je sois qui je suis, personne ne va m'obliger à accepter ce que je suis…

Fabriquez une pancarte avec ce slogan inscrit dessus. Brandissez-la ! Faites une manifestation en marchant dans votre salon et en scandant ces mots, jusqu'à ce que votre vitalité revienne et circule allègrement. Le fou rire est permis. La rage aussi.

Demandez-vous ensuite :

— *Si je ne résistais plus à… qu'est-ce qui pourrait émerger de beau, de bon, de nouveau en moi et dans ma vie qui répondrait à mes aspirations réelles ?*

Restez ouverts à ce qui vous vient et vous anime de l'intérieur et de l'extérieur. Une inspiration, un mouvement inédit vous sont venus ? Suivez leur piste pour sortir de vos sentiers rabat-joie.

Puis, au lieu de vous battre contre l'adversité, choisissez de mettre au monde cette nouvelle vie. Trouvez une manière de la rendre visible et tangible aux yeux de cette personne ou de cette circonstance qui vous donne du fil à retordre.

Voici quelques exemples.

Si, en réponse à cette question, le mot *douceur* naît en vous ou encore une sensation de douceur, vous pourriez acheter des douceurs. Et, comme si vous les offriez à un dieu dont vous désirez obtenir les faveurs, donnez-les à cette personne ou placez-les dans un bol devant un symbole de la situation ou du projet que vous voulez amadouer.

Si le mot *amour* ou une sensation amoureuse vous vient, dessinez un cœur dans votre main. À la première occasion, serrez la main ou envoyez la main à cette personne ou à cet élément dérangeant.

Si une liberté rafraîchissante se pointe, vous pourriez faire une mini danse de joie devant la personne ou la circonstance de votre choix.

Si vous ressentez une merveilleuse détente, laissez doucement tomber un papier-mouchoir sur le sol en poussant un soupir de soulagement lorsque vous imaginez ou rencontrez cette personne ou cet obstacle.

J'ai d'ailleurs suggéré cette pratique du papier-mouchoir à une femme qui cherchait une manière de ne plus se chamailler avec son homme. Au retour de ses vacances, elle m'a confié qu'ils avaient tous deux utilisé avec bonheur ce mouchoir-drapeau blanc. Le résultat : du plaisir comme jamais et moins de chicanes que jamais.

Pratiques sur le champ

1- Faites une cure de *Qui* et de *Pourquoi*

Au cours d'une heure ou d'une journée, demandez-vous avec une curiosité bienveillante : *Qui* en moi agit et interagit présentement, quelle est son intention ? Laissez venir la réponse sans vous juger ni essayer de changer quoi que ce soit. Lorsqu'elle émerge dites simplement merci en faisant tourner votre alliance. Puis lâchez prise et revenez à vos occupations.

2- Transformez vos *ne pas* en *oui et*

Vous êtes en plein milieu d'une situation ou d'une interaction et vous vous sentez éteints ou bloqués ? Convaincus que les autres sont coupables de vos difficultés ? Que rien de bon ou de nouveau n'est possible ? Ne cherchez pas plus loin, vous êtes aux prises avec un *ne pas*.

Posez-vous alors ces questions :

— *Qui interagit en moi et dans quelle intention ?*

— *Avec quoi ou avec qui suis-je en bataille, en résistance ?*

— *Comment est-ce que j'exprime cette résistance : est-ce que je me retire, me tais, m'obstine, me justifie, passe à l'attaque, fais des reproches, ignore l'autre ?*

Choisissez alors de passer à un *oui et*. Mettez-vous en état d'ouverture et de découverte, en faisant tourner votre alliance. Imaginez que ces personnes ou ces situations infernales sont en réalité des clés pour entrer au paradis de vos rêves. À condition que vous disiez *oui et* à ces mauvais bougres ou ces mauvais sorts bien sûr ! Vous pouvez aussi les voir comme porteurs d'une réponse vitale à la question ou à l'aspiration qui vous habitent présentement.

Maintenant que vous les percevez ainsi, quelle sorte d'attention leur portez-vous ? Comment les abordez-vous, les écoutez-vous, leur répondez-vous ?

Exprimez concrètement, d'une manière vivante, cette nouvelle qualité d'être qui renverse votre réaction négative.

Commencez petit. Une simple phrase, un geste différent, un changement de posture, un regard neuf, une attention qui va à l'inverse de votre *ne pas*.

Observez ce que ce *oui et* tout neuf produit. D'abord chez vous, puis chez cet adversaire ou dans cette situation.

3- Trois culbutes sur le pouce pour âmes courageuses !

a) Si vous enviez quelqu'un au point de souhaiter le voir disparaître de la planète, demandez-vous ce qui contribuerait le plus à son épanouissement. Si vous le lui offrez, vous aurez accès instantanément à ce que vous enviez chez lui.

Comment ça ? Parce que l'autre personnifie un aspect ou une qualité que vous convoitez et brimez ou reniez en vous. Vous le verrez clairement si vous allez à l'essence de ce que vous enviez chez l'autre, sans vous attarder à la forme extérieure.

Demandez-vous :

— *Si j'avais ce qu'il ou elle a, qu'est-ce que ça me permettrait d'être, de vivre ou de sentir ?*

Vous découvrirez ce à quoi vous aspirez vraiment derrière les apparences. En vous ouvrant à cette personne, vous vous ouvrez à cette part essentielle de vous et en participant à l'épanouissement de l'autre, vous libérez cet aspect de la cage de vos *ne pas*. C'es-tu assez bien fait ? Oui, mais pas évident, je sais…

b) Lorsque vous en voulez à mort à quelqu'un, demandez-vous :

— *Qu'est-ce que j'ai besoin d'embrasser ou d'exprimer pour ne plus avoir de ressentiment envers cette personne ou cet événement ?*

Embrassez et exprimez ce qui monte en vous en réponse à cette question. Laissez gambader cette nouvelle manière d'être dans votre vie.

c) Lorsque vous blâmez la vie ou une personne de ne pas vous offrir quelque chose, au lieu de vous morfondre, offrez — à vous-mêmes, à eux ou à quelqu'un d'autre — ce que vous leur reprochez de ne pas vous offrir. Ou changez chez vous ce que vous leur reprochez de ne pas changer. Ou encore, exprimez ce que vous leur reprochez de ne pas vous exprimer.

Vous remettrez ainsi votre flot *créacœur* en mouvement. Vous libérerez votre *pressence* et ne vous sentirez plus à leur merci. Vous sortirez de vos malheurs et vous ferez la joie de quelqu'un d'autre. Qui dit mieux ?

HUITIÈME
MOUVEMENT

Aimez-vous et créez-vous
les uns les autres

ou comment réanimer vos âmes d'artistes
grâce au cœur à cœur

≈

L'invitation, la règle d'improvisation, l'essentiel

≈

L'art de marcher pieds nus dans la source

« La joie réelle dans la vie, c'est d'être utilisé pour un objectif qu'on considère puissant, d'être une force de la nature, plutôt qu'être un amalgame fiévreux de maladies et de doléances se plaignant du fait que le monde ne se consacre pas à son bonheur. »

Senge, Scharmer, Jaworski, Flowers, *Presence*

« On ne peut s'empêcher de s'abandonner à cette tapisserie plus vaste qui tisse si élégamment nos espoirs et nos ambitions avec ceux de nos proches, enlaçant d'une manière exquise le développement de l'un à celui des autres. »

Christopher M. Bache, *The Living Classroom*

« Ce qu'on reçoit de la nature et de l'imagination vient d'un lieu qui est au-delà de notre sphère d'influence... et la fertilité continuelle de tout cela dépend du fait que les choses restent au-delà de nous, qu'elles ne sont pas récupérées par l'ego, plus petit. »

Lewis Hyde, *The Gift*

« C'est d'ailleurs souvent grâce aux peurs et aux faiblesses du formateur que le groupe acceptera de se regarder tel qu'il est et non tel qu'il s'imagine être. »

Charles Rojzman, *Savoir vivre ensemble*

Une nouvelle constellation est née

Je me fais une fête de vous inviter aux premières loges d'un groupe d'*Improrelations*. Les participantes ? Quatre artistes rêvant de retrouver ensemble leur liberté d'être et de créer dans l'amour. Grâce à leur histoire, j'espère vous transmettre l'ingéniosité, la vitalité, l'amour, l'humour, la grâce, la profondeur, la limpidité, la beauté, la fluidité, la douce folie et la plénitude des moments où le Cœur Créateur est à l'œuvre parmi nous.

Je sais, ça fait beaucoup. Je risque de vous paraître trop enthousiaste, aveuglée par l'amour ou carrément biaisée. C'est pourtant ce que nous vivons lorsque le Cœur Créateur fait son entrée sur la scène de nos interactions. Rassurez-vous, même s'il nous fait tomber en bas de notre tête quand il apparaît, je ne suis pas tombée sur la tête. Le récit de cette aventure de groupe inclut aussi les exigences et les difficultés de cet art collectif que sont les *Improrelations*.

Afin de devenir chacune un canal pour les harmonies de DJ Allegro, ces quatre artistes devront relever leurs manches et prendre leur courage à deux mains. Elles embrasseront des vérités pas toujours charmantes et bien élevées. Diront adieu à leurs vieilles identités sur le quai des nouveaux départs. Ouvriront les parachutes de leur intuition et sauteront dans l'inconnu. Nettoieront les fenêtres de leurs perceptions pour capter des réalités insoupçonnées. Déploieront leur cœur afin de respirer l'air du large ensemble. Laisseront entrer la lumière dans leurs coins les plus sombres pour ensoleiller leur présence. Feront faire des étirements à leurs neurones et danseront avec l'imprévu. Se riront des soubresauts de leur orgueil et retrouveront leur folie créatrice. Leur plus fidèle allié dans ces exploits : la qualité des liens qu'elles tisseront ensemble. Leurs liens avec elles-mêmes, avec les autres et avec le Cœur Créateur. Ils sont essentiels pour accomplir ces sauts et ces culbutes en beauté.

Par contre, je ne mets pas l'accent sur les passages stagnants où les *ne pas* sont au pouvoir. D'abord, j'en ai déjà fourni plusieurs exemples dans *Bungee, Vibrato et Tango*. Ensuite, la star ici c'est le Cœur Créateur ou son double, DJ Allegro. D'autant plus que je nourris l'espoir de vous faire tomber en amour avec lui. J'ose même espérer que cet amour vous motivera à sortir au plus sacrant vos *ne pas* au grand jour pour les changer en *oui et*.

Comme vous le verrez, l'univers des *Improrelations* est un milieu où chacun, à tour de rôle, devient un canal pour les courants et les révélations du Cœur Créateur. Une fenêtre qui donne sur le paradis.

C'est un univers où on s'affranchit mutuellement de nos barrières amoureuses et créatrices. Où on accède à ce qui nous tient à cœur en ouvrant son cœur. Où on libère le meilleur de soi en l'offrant. Où on découvre ses dons essentiels en contribuant à la respiration des relations. Où les musiques de DJ Allegro tissent des liens inédits, pleins de vie, de rebondissements, de sens et de cœur entre les participants.

C'est aussi un lieu où les conflits et les obstacles sont des clés pour sortir de nos systèmes carcéraux autogérés. Enfin, c'est un espace où une réceptivité inaltérable enveloppe et guérit tout ce qui est mis en lumière pour nourrir le flot de notre *pressence*, notre liberté d'être, notre expression authentique et la danse vibrante de nos interactions.

C'est ben beau tout ça, mais qu'esse ça va nous donner au juste ? Ah ! Vous avez la mémoire courte à ce que je vois. Pas de problèmes, j'adore me répéter quand il s'agit de faire la promotion du Cœur Créateur. D'abord, vous allez vous découvrir des dons insoupçonnés et les exprimer d'une manière unique. Puis jouir abondamment des forces vives et des harmonies de DJ Allegro dans votre vie de tous les jours. Et ce n'est pas tout. Vous allez déboucher sur les possibilités inespérées du Cœur Créateur dans vos créations et vos relations et être transportés au-delà de vos capacités individuelles. Vous aurez alors le bonheur de contribuer à l'épanouissement de votre entourage par la qualité de votre présence et de vos dons. Et, d'enrichir ainsi le champ vivifiant et ondoyant de vos connexions pour la plus grande joie de tous.

Comment on fait ça encore ? Bon, on recommence. Vous restez arrimés à votre intention d'aimer et de créer en présence de tout tout tout. Vous suivez religieusement les règles du jeu de l'improvisation pour dénicher les possibilités nouvelles contenues dans chaque rencontre. Beau temps mauvais temps, vous assumez et explorez ce qui entrave votre flot *créacœur* et celui de vos interactions. D'instant en instant, vous participez et donnez votre pleine présence dans le but d'enrichir les harmonies en cours de création.

C'est là que vous avez droit à la totale. Vous devenez l'heureux récipiendaire de la sagesse affectueuse et délurée du Cœur Créateur. Dès que vous la recevez à bras ouverts, elle vous relie aux autres, et crée de nouvelles constellations d'étoiles qui font étinceler le monde de chacun d'une lumière chaude et inspirante. Vous êtes inclus dans cette ronde de stars évidemment. Mais attention, vous risquez de tomber en bas de votre chaise et de votre tête à chaque fois que cette sagesse profonde répond à vos aspirations d'une manière beaucoup plus brillante et généreuse que vous ne pourriez le faire seuls. En prime, vous avez le privilège de sentir la présence du sacré infuser vos interactions de tous les jours et leur donner un second souffle.

Avant de plonger dans l'histoire de nos quatre artistes, laissez-moi vous mettre au parfum de notre lien avec DJ Allegro. Comme vous le savez, une chorégraphie collective, sans cesse renouvelée, se crée à partir de ses improvisations musicales. C'est la musique qui mène le bal, et non les danseurs. Chaque danseur doit donc l'épouser pour qu'elle lui inspire des mouvements inédits qui contribuent à la chorégraphie en cours. Ici, ça se corse ! Ce que je ne vous ai pas encore dit, c'est que les créations sonores de DJ Allegro ne sont pas audibles au départ. Elles le deviennent uniquement grâce à l'intention des danseurs. Celle de libérer leur flot *créacœur* face à tout ce qu'ils rencontrent pour participer corps et âme à la création commune. On a donc tous notre part à jouer pour faire émerger les accords de DJ Allegro dans notre réalité et nos interactions actuelles. En retour, ces accords libèrent notre plein potentiel amoureux et créateur. Comme vous voyez, c'est une improvisation mutuelle en perpétuelle expansion Ça vous donne une idée ? L'histoire qui suit mettra de la chair autour de cette vision.

Du grand rêve au conflit révolutionnaire

Il était une fois, dans une contrée mystérieuse, quatre artistes aux doigts de fée, à la voix d'or et à l'esprit fertile. Malheureusement leur cœur était muselé par les *ne pas* toxiques du mental isoloir. Dotées d'une manne de talents (chant, écriture, musique, théâtre, danse, peinture), Iris, Jade, Rose et Lily avaient tout pour elles, sauf l'essentiel : l'amour vibrant, la liberté d'être, la joie pure de s'exprimer.

Par un beau jour béni des dieux, elles décident d'un même élan de se rencontrer pour retrouver leur souveraineté créatrice. De quelle manière ? En créant ensemble bien sûr ! Elles n'ont aucune idée du périple qu'elles auront à accomplir pour réaliser ce souhait. Elles ignorent que ce rêve d'inventer en liberté et en chœur exige la mutualité du cœur. Que le meilleur d'elles-mêmes est captif de leur besoin de briller. Qu'en fait leur flot *créacœur* est coincé dans les compétitions et les comparaisons du mental isoloir qui polluent leurs plus beaux élans. Un changement d'identité s'impose. Rien de moins !

Voilà pourquoi, après quelques rencontres, leur beau rêve se brise les ailes sur les récifs d'un affrontement entre deux de ces fées transformées en sorcières. Elles ne réalisent pas à quel point cet incident inattendu et malvenu va leur ouvrir des avenues inespérées. Elles se doutent encore moins qu'à travers ces tensions, une version beaucoup plus féconde et large de leur vœu commun va naître. Pourtant, toute révolution digne de ce nom commence par un conflit intérieur ou extérieur. Celle du Cœur Créateur également.

Dans un premier temps, ce conflit fera sortir au grand jour les intentions toxiques qui fomentent une mutinerie dans les replis obscurs de leurs psychés. Ce sont ces intentions qui empêchent leur beau rêve de s'ancrer dans l'amour et la liberté d'être. En fait, ces fées désirent créer en chœur, dans l'abandon, tout en rivalisant, chacune à sa manière, pour maintenir en catimini sa suprématie sur les autres. Mission impossible !

Pour qui, pourquoi ce conflit entre nos fées, me direz-vous ? Pour les beaux yeux d'un prince, pardi, quoi d'autre ? Iris en veut à Jade d'avoir capté involontairement l'attention d'un prince charmant. Elle aurait tant voulu garder cette denrée précieuse juste pour elle. Depuis ce temps, elle boude Jade. À force de l'ignorer comme si elle était une des fleurs du tapis, peut-être Jade va-t-elle finir par s'effacer de la rétine de ses yeux ou de la surface de son monde, qui sait ? Se braquant contre ce rejet, Jade rejette Iris à son tour. Tiens-toi ! C'est l'impasse. Leur projet commun stagne, leur amitié se détériore et elles se blâment mutuellement de leurs malaises. Elles se sentent de plus en plus mal, bien sûr. Lorsqu'on entre en lutte contre les autres, on va à l'encontre de son propre flot *créacœur*, n'est-ce pas ? Et ça provoque des inconforts, des blocages de toutes sortes. Oui, oui, on le sait ! Après avoir tenté en vain de se sortir ensemble de leur impasse relationnelle et créatrice, nos quatre fées se donc sont mises d'accord : elles vont l'explorer avec moi pour retrouver leur flot *créacœur*. C'est leur intention de départ. Voilà comment elles se retrouvent un beau jour dans mon salon.

Des questions *créacœur* rassembleuses

Après moult effusions et embrassades animées, les voilà assises en cercle. La joie et une certaine fébrilité transpirent de leurs retrouvailles. Je les regarde choisir leur place. À côté de qui s'asseoir sans trop révéler ses préférences ou son besoin de distance ? Dans le divan à deux places ou toute seule dans un fauteuil ? Se précipiter sur celui qu'on veut ou jouer les détachées ? Proche de la maîtresse ou pas trop près, merci ? Quelles décisions épineuses !

Déjà, mes braves fées me semblent un peu trop précautionneuses, trop polies. Je les sens craintives. J'installe illico un climat de confiance en les rassurant : même si la guerre est ouvertement déclarée entre Jade et Iris, inutile de les stigmatiser ou de prendre parti pour l'une ou l'autre. Elles incarnent une lutte présente en chacune de nous. En définitive, les deux vrais protagonistes sont le mental isoloir et le Cœur Créateur. Chacune leur tour elles vont incarner l'un ou canaliser l'autre. Je leur annonce que je ne doute pas une seconde que le Cœur Créateur a orchestré ce rejet mutuel entre elles pour faire tomber les murs qui les séparent les unes des autres. Donc, d'une part essentielle d'elles-mêmes et de leur rêve de création collective. Elles acquiescent, visiblement soulagées par cette vision réconfortante.

Comme toujours, au départ de chaque aventure improrelationelle, je porte en moi des questions *créacœur*. *Comment découvrir et ouvrir, à même nos impasses, le passage qui mène à l'univers du Cœur Créateur ? Par quelles voies rejoindre les harmonies de DJ Allegro, à partir de ce qui se passe pour nous maintenant ? Comment passer de la stagnation et de la fermeture du petit moi crispé, empêtré dans ses propres filets, aux courants créateurs et amoureux qui nous relient d'instant en instant ? Bref, qu'est-ce qui cherche à naître de beau, de bon, de nouveau et de plus grand que nous au cœur de cet affrontement, et comment y accéder ?* Ces questions vont guider tous mes échanges avec mes fées.

Ma première tâche est donc d'aider les protagonistes à s'ouvrir à la danse qui cherche à tisser des liens inédits dans leur petite troupe. Au-delà de leurs réactions négatives et de leurs séparations. J'espère désamorcer ainsi le jeu de fléchettes empoisonnées qui se joue entre elles de manière détournée.

Heureusement, elles m'ont déjà raconté l'histoire de leur conflit. À travers leurs dires, je détecte un thème collectif : la compétition, le ressentiment et le refus de l'échec qui les amènent à nier leur vulnérabilité, leur vérité du cœur, leur besoin d'amour, et leur liberté d'être. Je fais ni un ni deux et dépeins ce thème à Iris et Jade en prenant soin d'inclure tout le monde dans le portrait. Rose et Lily se sentent immédiatement concernées. Nous découvrirons d'ailleurs sous peu les guérillas souterraines et inavouées que les egos de ces dernières tramant dans l'ombre pour les empêcher de créer dans l'amour.

Je sais d'expérience qu'en acceptant d'aborder leur échec et leur conflit comme des invitations à s'ouvrir et à découvrir, Iris et Jade (et plus tard, Rose et Lily) pourront embrasser ce qui a besoin d'être aimé en elles et libérer ce qui doit l'être pour enfin créer et aimer à leur goût. C'est à travers cette brèche que le Cœur Créateur les rejoindra. À condition qu'elles se perçoivent mutuellement comme les émissaires des potentialités insoupçonnées que cet improvisateur tente de faire naître dans leurs interactions. Elles pourront ainsi aborder l'autre comme une réponse à leur vœu. Une réponse qui recèle autant des indices sur la manière dont elles bloquent leur flot *créacœur* que des inspirations et des élans qui le libéreront. Une réponse qui les extirpera donc des forces oppressives de leurs défenses.

C'est bien beau tout ça, mais on est loin d'être rendues là ! On a pas mal de pain sur la planche et un tas des croûtes à manger avant d'y arriver…

Des portraits d'ombre et de lumière

Comme je rencontre chacune de ces artistes en consultation individuelle depuis un bon moment, je connais déjà les ombres et les lumières de leur monde intérieur.

Jade, aux yeux inquisiteurs et aux pieds de porcelaine, est souvent perchée dans les couches abstraites de son esprit analytique. Ça l'empêche de se déposer amoureusement sur le sol accueillant de sa vérité simple et nue. Malgré la douceur de sa voix, dans l'ombre de son regard se terre une force de condamnation qui se retourne contre elle lorsqu'on ne lui donne pas raison. Pendant ce temps, son naturel zen, radieux et clairvoyant attend sagement la permission d'aller jouer avec les autres. Nous aurons la joie de le voir émerger main dans la main avec sa vérité vibrante.

Autant Jade devient volubile quand elle est blessée, autant Iris, à la voix rocailleuse et aux mains charnues, se retranche dans la grotte de son lourd silence. Elle nous confisque ainsi sa présence, crée dans l'atmosphère un trou noir et sombre dedans sans comprendre pourquoi elle a du mal à voir clair et à s'exprimer. Lorsqu'elle tente de le faire, on dirait qu'un vent contraire lutte contre l'émergence naturelle de ses paroles. Pourtant, au fil de nos rencontres, nous découvrirons les délices de sa présence pleine d'innocence, d'inventivité et de sagesse.

De son côté, Lily au sourire enjôleur et à l'esprit vif comme un colibri, accapare souvent notre attention. Elle nous fait ensuite tourner en rond dans les méandres joliment ciselés de son discours fleuri. Pendant ce temps, suspendues à ses lèvres, nous attendons le contact et la chaleur de sa vraie présence. Elle se désole alors de ne rien sentir et de ne rien goûter de la vie. Pourtant, lorsqu'elle s'ouvre et s'abandonne à ce qui se passe réellement en elle, sans chercher à faire d'effets, la tendre folie, la finesse et la luminosité de sa vraie nature nous touchent et nous enchantent. Au-delà de tout ce qu'elle pourrait fabriquer ou souhaiter.

Rose, à la crinière de feu et à la stature imposante, occupe régulièrement la place avec ses abondantes paroles... sans toutefois révéler l'essentiel. On est alors privées de la richesse de son monde intérieur et de son cœur. Si on lui demande ce qu'elle sent ou ce qu'elle veut, son verbe, jusque-là assuré, devient inhibé, emberlificoté. Sa voix se fait toute petite, comme si elle rétrécissait à vue d'œil. Elle se plaint d'être entravée dans la libre expression de ses élans et de sa vérité. À mesure qu'elle nous fera part de ce qu'elle vit dans l'instant, glorieux ou pas, nous baignerons avec elle dans les courants profonds, originaux et ardents de son amour et de ses mouvements spontanés.

On débute la rencontre par un tour de cercle. Chacune contacte puis communique ce qui l'habite, dans l'intention de faire vibrer ses cordes sensibles et d'être pleinement présente. Je leur décris ensuite les manifestions anti-flot du mental isoloir. Ses *ne pas* quoi ! Si on ne les arrête pas, ces petits malins risquent de compliquer inutilement nos échanges. On doit éviter de s'enliser dans leurs comportements répé-titifs, stériles ou même nocifs si on veut aimer et créer ensemble. Surtout que ces fameux *ne pas* peuvent prendre une multitude de formes et même se déguiser en courants d'air quand ça fait leur affaire. Les voilà en enfilade. S'obstiner en collectionnant les *oui mais*. Faire des reproches voilés. Bouder en catimini. Jouer au sauveur de la veuve et de l'orphelin pour ne pas se révéler soi-même. Analyser sans fin pour aller nulle part. Dire oui et nous mettre indéfiniment en attente. Fuir dans le passé ou le futur. Dramatiser pour garder toute l'attention sur soi. Faire semblant de participer mais n'offrir qu'une coquille vide. Après avoir écoulé leurs réactions et répondu à leurs questions, j'obtiens l'accord de mes chères fées pour nommer ces générateurs d'impasses quand ils sont à l'œuvre. Et, pour les aider à découvrir ce qui se cache en dessous.

Un plongeon dans l'inconnu...

J'invite ensuite Jade à nous révéler où elle en est dans sa relation avec Iris. Repliée sur elle-même, les yeux baissés derrière sa frange blonde, elle ouvre le bal en nous disant d'une voix de petite fille aux allumettes : « J'ai peur de m'ouvrir et d'être blessée à nouveau par Iris. »

Malheureusement, rien ne vibre. Ni dans ses paroles ni entre nous. Ce manque de vie me met la puce à l'oreille. Où est la vérité qui nous touchera, ce premier maillon de la chaîne vivante qui nous unira ? Je devine pourquoi elle n'y a pas accès : elle semble occupée à utiliser ce qu'elle vit avec Iris pour se justifier de rester fermée. Et pour se réfugier dans un rôle qu'elle connaît bien : la sans-défense. Ça l'empêche de s'ouvrir amoureusement à son expérience et d'improviser une danse inédite avec nous. Pour l'instant, elle est loin de voir Iris comme la main que le Cœur Créateur tend à son vœu le plus cher. À l'écouter, on croirait que celle-ci est une ensorceleuse aux puissants maléfices. Pourtant, muette comme neige, Iris semble tout aussi craintive que Jade. Quel est ce monstre commun, tapi dans l'ombre, qui les oppose et les éteint ?

Je fais remarquer à Jade que ses paroles ne semblent pas l'épanouir. Ni lui permettre de découvrir quoi que ce soit de bon et de nouveau non plus. Elle est d'accord. Sachant que seul le ressentiment peut créer une telle impasse entre les gens, je lui suggère de l'exprimer ouvertement : « Si tu disais à Iris quelque chose comme "je t'en veux de m'avoir ignorée et blessée", qu'est-ce que ça soulèverait en toi ? » Elle hoche faiblement la tête. Hésite un moment... Puis se lance bravement dans les eaux troubles de ses intentions cachées. « C'est vrai, je t'en veux de m'avoir fait me sentir mal. Je veux que tu te sentes mal, toi aussi. » Je reconnais là un aspect attachant de Jade : une fois engagée, elle se jette à l'eau corps et âme. Bien sûr, elle n'en est pas à son premier saut...

... suivi d'un plongeon salutaire dans la vérité

Dès qu'elle exprime sa vérité, la posture de Jade change. Elle se redresse, reprend vie et s'ouvre comme une plante qu'on vient d'arroser. La limpidité dépouillée de sa vraie présence transforme ce qui était lourd et compliqué en légèreté salutaire. Les autres fées, soulagées, respirent et s'animent à leur tour. On dirait que chacune vient de recevoir un baiser du Prince charmant. Quelques rires fusent devant l'ingénuité de la confession de Jade. Dégagée de l'emprise de son mental isoloir, elle participe à l'éclat général. En souriant timidement d'abord, puis en riant de bon cœur.

Iris, éveillée par la vibration de cette vérité, sort de son hibernation. Elle lève les yeux vers Jade. Lui dit doucement qu'elle comprend ce qu'elle vit. N'est-elle pas elle-même ferrée dans l'art de propager gracieusement ses malaises dans l'atmosphère ? Elle se détend et laisse éclore sa présence chaude. Un courant fragile se met à frémir entre les deux. Toute la tribu s'en réjouit. L'espace entre nous, rempli des courants captivants du Cœur Créateur, devient nourrissant et magique. Notre attention est complètement absorbée dans ce qui se passe présentement, on découvre au fur et à mesure l'histoire qui se déroule sous nos yeux et on se laisse toucher par ce que vivent les personnages. Le film de notre vie est devenu aussi fascinant que *La vita e bella* de Roberto Benigni.

Rose et Lily expriment leur appréciation et leur gratitude à Jade pour avoir mis en lumière une vérité ténébreuse dans laquelle elles se reconnaissent. Elles saluent son courage. L'amour voyage dans leurs mots, leurs respirations et leurs regards.

On savoure en silence la grâce qui émane de cette rencontre vraie de vraie. De cet échange où ce qui libère et ouvre Jade nous libère et nous ouvre simultanément. Où l'amour et la vie surgissent des endroits qu'on juge et qu'on rejette le plus. Et où la pressence jette entre nous des ponts inespérés.

À la fin de cette session, nous aurons même droit à une accolade entre Jade et Iris. La cerise sur le *sundae*, concocté par le Cœur Créateur. Jade nous écrira le lendemain : « J'ai souvent le fort sentiment d'être reliée à quelque chose à la fin de ces moments intenses. Reliée à vous, à moi, mais aussi à quelque chose de plus. »

Les fées exprimeront fréquemment, au fil de nos rencontres, leur émerveillement devant les liens imprévisibles qui se tissent au fur et à mesure de leur ouverture. Devant ces liens si vivants, nourrissants, clairvoyants, elles ne peuvent retenir leurs élans de reconnaissance.

Les eaux troubles, sources de vie nouvelle

Rencontre après rencontre, on goûte ensemble à la grâce et à la plénitude de la vérité du cœur. Pour qu'elle vivifie le plus souvent possible nos échanges, je demande aux fées, au moment où elles s'expriment : « Est-ce que tu découvres du nouveau quand tu dis ça ? Est-ce que ça te fait vibrer, est-ce que ça t'ouvre, te libère ? »

Plus d'une fois je leur rafraîchis la mémoire : faire face à la vérité par amour — de nous, de notre flot, de nos liens, de nos créations, de nos aspirations —, c'est crucial. C'est ce qui transforme les eaux stagnantes du ressentiment, les eaux troubles de la jalousie, les eaux sombres des *ne pas* et les eaux houleuses de l'orgueil en sources de vie, de fraîcheur et d'ardeur nouvelles. C'est aussi ce qui ouvre la porte à des possibilités surprenantes et bienfaisantes. Étant donné qu'ici on reçoit de l'amour dès qu'on assume et exprime sa vérité, quelle qu'elle soit, on est moins portés à se juger et à retourner contre soi ces senti-ments si épineux. Je leur répète aussi que c'est l'intention qui fait la différence entre une vérité ordinaire et la vérité du cœur : celle de s'ouvrir, de se faire du bien, de se surprendre et de se rapprocher des autres. Olé !

Elles y prennent goût petit à petit. Ainsi, après avoir mis en lumière sa jalousie devant l'expérience heureuse d'une autre fée, une Rose épanouie s'exclame qu'elle se sent étonnamment propre. Pas surprenant. C'était tellement inspirant de voir son cœur s'insurger spontanément contre la rivalité qui contamine ses plus beaux élans. Elle nous avoue plus tard que cet abandon à la vérité, qui monte de l'intérieur et qu'on offre après l'avoir embrassée, est ce qui lui est arrivé de mieux dans le groupe.

À un autre moment, pour saluer le courage de Lily qui a traversé un passage difficile en chantant pour nous, une Rose en verve nous écrit : « On n'est pas là pour être parfaites, mais pour nourrir l'amou-reuse et la créatrice en nous. » À son insu, à travers son chant, Lily venait d'incarner pour nous la lutte entre le besoin de perfection et l'abandon à la présence amoureuse et réelle. Alors que nous l'écou-tions, enchantées par sa vulnérabilité et sa voix toute en douceur elle se reprochait tout haut les erreurs qui se glissaient ici et là entre les mailles serrées de son image de perfection. Ces failles étaient pourtant les fenêtres par lesquelles on pouvait apercevoir sa beauté véritable.

D'ailleurs Lily se débat souvent avec sa tendance à camoufler son ombre, ou ses manques, avant de goûter aux bienfaits surprenants de leur mise en lumière. Émouvante de vérité, elle nous parle de ses efforts pour revenir sur la traque de sa vie en débusquant les secrets et entourloupettes dont elle n'est pas fière. Dans un même souffle, elle nous avoue son refus de montrer aux autres les bienfaits de leur présence sur elle. Ce *r'quin-ben* qui la fait souffrir et la prive de sa joie et de sa liberté d'être.

Nos ombres s'allègent peu à peu. Nos âmes d'artistes — les muses du Cœur Créateur — en profitent pour reprendre des forces et du bagout. Elles s'amusent même avec nos aspects sombres. Un jour, ravigotée par une pause chocolat/thé, Iris nous fait part de son besoin d'exprimer le sentiment négatif qui l'envahit. Elle espère ainsi redevenir proche de nous. Elle se lève d'un bond et joue, à notre grand bonheur, les réactions offusquées de sa narcissique en chef. Comment ça vous ne m'avez pas donné toute l'attention due à une princesse de mon rang ? Franchement, tous vos regards auraient dû être rivés sur moi pour anticiper le moindre de mes élans et de mes besoins ! Au fur et à mesure qu'elle dévoile cette part d'elle, la folie créatrice et la vitalité d'Iris croissent de manière exponentielle. Elles nous contaminent, même. Outre le fou rire, elles provoquent une série d'ouvertures et d'expressions spontanées chez les autres fées qui se reconnaissent dans son attitude offensée. Elles découvrent en chœur la manne de vie et de liberté qui se cache sous leurs réactions si proches parentes. Chansons, poèmes et jeux spontanés jaillissent de ces échanges. C'est la libération des chialeuses offensées. L'apogée de la folie heureuse en fugue !

Lorsque je les inviterai à relever un moment marquant de nos rencontres, une Jade fraîchement convertie à la vérité du cœur répondra : « Le jour où j'ai cessé de juger l'autre pour l'ombre que je percevais en elle et dont je me rendais victime, pour réaliser que je portais la même ombre en moi. Ça devient impossible de juger l'autre et ça rend ça beaucoup plus difficile de se juger soi-même. Mais je crois qu'il y a là un filon. Ce qui nous unit dans l'ombre est aussi une occasion d'aimer. »

De l'échec *créacœur* à l'amour rayonnant

Deux rencontres plus loin, l'échec *créacœur* est à l'honneur dans notre groupe. Il se pointe avec sa marmaille de sentiments décoiffants, mais si touchants et émancipateurs lorsqu'on les embrasse. Honte, vulnérabilité, peur de ne pas être à la hauteur font la queue à la porte de nos consciences…

On a nos petites habitudes maintenant. On commence toujours par écouter ce qui nous habite maintenant pour être disponibles à ce qui cherche à naître à travers nous. Cette fois-ci, sans crier gare, une impulsion incontournable surgit de mon for intérieur. Saperlipopette ! Qui aurait cru que j'aurais à plonger la première dans les marais de la honte ? Ouh la la, quand on fait les yeux doux à l'inconnu, on ne sait jamais ce qu'on va rencontrer… Imaginez-vous donc que je dois m'ouvrir sur ma honte et ma déception par rapport au rejet d'un homme. Erk ! Une partie de moi réagit aussitôt : *Ah non, dis-moi pas que je vais devoir amener ça ici ! Et puis, es-tu sûre que ça va servir le groupe que tu partages quelque chose d'aussi personnel ?*

Je pourrais toujours prétexter mon rôle de guide pour éviter ce bain peu ragoûtant. Ça ferait tellement mon affaire. Mais pas moyen d'y échapper. Je reconnais là une invitation du Cœur Créateur à me relier aux autres d'une manière imprévue, ça c'est sûr, et qui sera fructueuse, c'est aussi sûr, mais loin d'être évident. Comment ? Pas la moindre petite idée à l'horizon. Tout ce que je sais, c'est que le courant invisible, mais fort et tangible, que je sens courir en moi à l'idée de sauter à l'eau est le médium par excellence pour les envolées musicales de DJ Allegro. Ne dit-on pas que ce qui est le plus personnel est aussi le plus universel ? Un-deux-trois go, prête ou pas prête, j'y vais ! Que voulez-vous, après avoir fait les yeux doux à l'inconnu, c'est le temps de danser avec l'imprévu. Avec la permission de ma petite tribu, bien sûr.

Rougissante comme une pivoine en chaleur, j'exprime ma honte aux fées. Je n'aurais pu espérer mieux comme réponse. Plus je me dévoile, plus je sens une chaleur et une vivacité nouvelles voyager en moi, entre elles et moi. Leurs regards humides scintillent. Font le pont entre ce que je vis et ce qui est touché au fond d'elles. Elles se disent remuées, allumées.

Vite sautons dans le train en marche ! À la file indienne, Lily, Rose, Jade et Iris font prendre un bain de soleil aux parties d'elles qui en ont grand besoin. Celles qui ne se sentent pas à la hauteur, pas de la bonne couvée, pas importantes, pas adéquates, pas aimables, pas désirables, pas assez *in*, pas assez *hot*, pas assez *hip hop*… pas… pas… Et rebelote, l'amour en folie fait de l'humour : coudonc, on se sent toutes comme des crottes de nez ! On fait des jeux de mots, que je vous laisse imaginer, sur ce thème collectif et on en rit aux larmes.

À partir de ces matériaux si peu nobles, DJ Allegro s'en donne à cœur joie on dirait. Il improvise des accords pas piqués des vers qui nous jettent toutes à terre. La preuve que tout peut servir à aimer et à créer ! La vérité de chacune nous fait vibrer au diapason et diffuse dans l'atmosphère un parfum unique qui nous envoûte et nous pénètre comme une huile essentielle. Tour à tour, grâce à sa transparence, chaque fée rayonne à partir de ce qu'elle rejette le plus d'elle. La chorégraphie de nos élans vers les autres et de nos retours à nous-mêmes est fascinante. On dirait des danseuses unies dans leurs pas et leurs gestes par une mystérieuse musique. On est dans le *groove* : inspirées par la musique de ce qui vibre en nous au contact des autres et portées par la mélodie qui circule entre nous.

La création fait son entrée en scène

Au terme de cette session, je demande à chacune de créer quelque chose à partir de son expérience de l'échec *créacœur*. Je les encourage par la suite à apporter, au gré de nos rendez-vous, des œuvres de leur cru, inspirées d'un mot, d'un bout de phrase, d'une sensation, d'un échange ou d'une expérience qui les a marquées.

C'est la manne créatrice. Nous allons de bonheur en bonheur. Jade nous lit doucement son poème juste et dépouillé qui nous invite à libérer nos mouvements du corset serré et des travaux forcés de la perfection. Cachée derrière son fauteuil, Iris nous ravit en faisant parler une petite marionnette à main. Avec une innocence rafraîchissante, celle-ci nous montre l'art de faire une entrée en scène vibrante. Sans artifices et sans chercher à impressionner la galerie. Une Rose émue nous fait littéralement fondre de tendresse en nous interprétant de sa voix profonde et frémissante, une chanson d'amour. Elle nous écrit ensuite : « Je flotte grâce à vous toutes. J'aime et me sens aimée et soutenue pour vrai. C'est si bon. » Quant à Lily, elle exprime ses élans et sa vérité avec un plus grand naturel. Dans ses interactions comme dans son chant. Elle accepte plus volontiers ses trébuchements aussi. Elle nous envoie un jour ce mot : « Quel après-midi magique, dans le sens de plein d'étincelles, surprenant, riche, chargé, fou, intense, *douxloureux*, doux pour l'âme… » Je dois dire que ça résume assez bien la teneur et la couleur de nos rencontres.

Un beau matin, j'invite mes fées à imaginer l'âme d'artiste au centre de notre cercle et à s'ouvrir à ce qu'elle veut exprimer à travers nous. Dans une atmosphère pleine de mystère et de douceur, chacune décrit comment elle perçoit cette source si inspirante. Comme Iris traverse un désert dans sa vie d'artiste, elle compose une chanson candide où elle invite cette belle âme, à la fois personnelle et collective, à éclairer la voie qui lui permettra « d'être utile à ceux que j'aime ». On entonne spontanément le refrain avec elle. Iris nous remercie le lendemain du « vrai doux bonheur que j'ai ressenti quand vous vous êtes mis à appeler avec moi, en chantant avec moi, l'âme d'artiste ».

Je suis comblée. Leur amour de l'âme d'artiste et de DJ Allegro grandit à vue d'œil. Elles prennent graduellement goût à la vérité, à la spontanéité, à la gratuité. À l'intimité, à l'abandon, au mystère de nos liens. À l'humilité, à la simplicité, à la joie pure. Au courage de confronter leurs ombres, de se prendre moins au sérieux. Enfin, à l'amour et à la liberté créatrice. Je me réjouis de les voir tour à tour devenir un canal pour ces qualités d'être qui nous plongent dans l'univers du Cœur Créateur.

Comme elles suivent plus souvent leur flot *créacœur*, nos interactions deviennent mélodiques et rythmées à souhait. Pour accorder leurs instruments sur les harmonies profondes de DJ Allegro, chacune porte attention à ce qui vibre ou non, à ce qui sonne juste ou dissonant, à ce qui suit ou brise le tempo de la respiration de nos échanges, à ce qui circule ou stagne entre nous, à ce qui nous fait découvrir du nouveau ou répéter le connu.

Elles maîtrisent maintenant *l'écoute-connexion* et *l'écoute-création* au point de se laisser surprendre fréquemment par les élans authentiques et les inspirations spontanées qui jaillissent de nos interactions. Elles canalisent mieux aussi la sagesse qui nous inspire les prochains pas et mouvements à faire pour nous ouvrir et découvrir ensemble.

Les bienfaits contagieux de la danse avec l'imprévu

Aujourd'hui, un conflit. Iris se plaint d'être délaissée par les autres. Imaginez-vous que Jade est allée dîner avec une autre fée sans l'avoir appelée — ô horreur ! Lily saute sur l'occasion pour sortir de sa bulle. Elle danse avec l'imprévu en lui offrant sans ambages sa vérité vibrante. Pour Lily, qui tire son charme et trouve ses armes dans le retrait et la mise en attente, c'est tout un saut dans l'inconnu. Elle se compromet au risque de ne pas plaire. Au secours ! Tremblante d'émotion, elle rappelle à Iris le nombre de fois où elle l'a invitée chez elle et lui exprime sa frustration devant ses refus répétés. La courageuse sortie improvisée de Lily permet à Iris de sortir à son tour de sa bulle pour se rendre à l'évidence : elle est importante pour nous et nous sommes importantes pour elle. Portée par cette réalité qui l'infuse d'une vie nouvelle, elle remercie Lily de sa franchise.

Cette chaîne humaine ne s'arrête pas là. Lily tend soudain la main à Rose qui vit un deuil. Elle lui demande tendrement si elle a besoin de quoi que ce soit de notre part. Rose, touchée en plein cœur, sort de son exil émotionnel. Elle s'ouvre à sa peine et fond en larmes. Réchauffée par ce contact, elle remercie Lily de lui avoir permis d'embrasser la tristesse qui se languissait au fond d'elle. La beauté, c'est que Lily rayonne aussi. En suivant son élan envers Rose, elle est sortie des replis et des blocages paralysants dont elle souffre habituellement.

On profite toutes des richesses et des bienfaits de ces interactions simultanées. En restant ouvertes à ce qui émerge en nous en présence des autres, on reçoit le soutien, l'amour et les révélations nécessaires pour aimer et créer, en harmonie avec notre essence et avec le mouvement *créacœur* du groupe. Chaque fée devient une note unique qui prend son sens et son ampleur dans cet accord commun qui nous harmonise et nous dépasse. Grâce à la chorégraphie de nos échanges, Rose, Lily, Iris et Jade ont l'occasion de percevoir l'impact réel de leurs coupures avec les autres, donc avec le meilleur d'elles-mêmes. Une vraie aubaine ! Elles peuvent ainsi transformer sur le vif les comportements qui vont à l'encontre de leurs aspirations profondes. Exprimer sur-le-champ ce qu'elles libèrent de vrai, de bon et d'inédit à travers nos interactions. Sentir les effets bénéfiques de leur nouvelle qualité de présence sur elles-mêmes et sur nous.

Pour enraciner ce contact ouvert et simultané — avec notre expérience, avec les autres et avec les tempos de DJ Allegro —, j'ajoute à nos séances une pratique que j'utilise déjà avec bonheur dans mes rencontres individuelles. Au départ, on joue des maracas sur un rythme commun. Ça nous accorde ensemble. Ensuite, on chante à tour de rôle quelques phrases qui traduisent ce qui surgit spontanément en nous en réponse à la personne qui vient de s'exprimer. Nous voilà en plein dans la respiration de nos interactions.

J'encourage mes chanteuses en herbe. Ne vous gênez pas pour accueillir et utiliser tout ce qui survient. Moins vous essayez de performer dans cette improvisation, mieux c'est pour tout le monde. Pour notre plus grande joie, vous aurez alors accès à la sagesse, la vérité, l'innocence, la liberté créatrice et la vitalité de votre présence authentique. Ne vous inquiétez pas, fausser, ne pas savoir quoi ou comment chanter, être figés, se sentir poches, deviennent des atouts au lieu d'être des failles ou des obstacles. Incluez toutes ces expériences dans la danse. Elles sont des portes d'entrée pour le Cœur Créateur.

À leur expression, je vois que mes fées sont excitées, mais un tantinet craintives. Ôôôôh ! On saute vraiment dans l'inconnu ici, en direct et en interaction par-dessus le marché. Allons-y allègrement !

Je pars le bal en improvisant sur ce qui se vit actuellement. Je passe ensuite le flambeau à Jade qui, après un instant de recul, nous met en gaieté en chantant son incertitude et son embarras. Puis elle passe la rondelle à Lily qui la passe à Rose qui la passe à Iris qui me la repasse. L'atmosphère se réchauffe, devient électrique… Tout y passe : la tendresse, la coquinerie, le grotesque, la passion. À certains moments, l'une ou l'autre se lève pour faire quelques petites steppettes ou des gestes bien sentis. On est toutes aussi émerveillées des trouvailles et des réalisations qui surgissent de notre improvisation musicale. On s'amuse comme des enfants. En prime, on expérimente live nos manières uniques de participer au flot de l'interaction ou d'hésiter sur le seuil de l'inconnu. Chacune découvre du beau, du bon et du nouveau en incluant tout dans cette ronde vivante et rythmée. On se laisse surprendre par ce qui naît d'instant en instant. On en ressort le corps vibrant, le cœur léger, l'esprit délié et l'âme en fête.

De la bulle fermée au besoin d'amour : finis les travaux forcés !

Cette fois, lorsque j'invite les fées à faire les yeux doux à ce qu'elle vivent, Iris, les yeux baissés, la voix voilée, nous confie sa peur. Elle doit faire une prestation sur scène le lendemain et craint de ne pas être à la hauteur. Elle ne se sent pas assez bonne, pas dans le jeu, pas méritante, pas, pas, pas, pow !

Elle ne réalise pas que le seul fait de mettre son attention sur sa valeur ou sa non-valeur personnelle la coupe de son flot *créacœur*. Ça la garde en bulle fermée, captive du miroitement de son image, prisonnière du regard des autres. Pourtant, son flot jaillirait naturellement si Iris se concentrait sur son intention de créer par amour. Par amour pour son art, pour la beauté, pour la vérité, pour la joie pure de découvrir et de s'exprimer. Et, si elle acceptait d'offrir simplement ce qu'elle peut offrir de mieux à ce moment-là, elle se sentirait à la hauteur. En fait, ce qui lui permettra d'être à son meilleur a beaucoup moins à voir avec son estime d'elle-même qu'avec son amour de la création et son ouverture à l'entourage.

Première station pour l'aider à sortir de son confinement : l'inviter à traduire son expérience en langage interactif. Pourquoi ? Parce que, comme je l'ai vu maintes fois dans ma pratique, la crainte de ne pas être à la hauteur découle généralement d'une volonté de se prouver et de s'arranger seuls. Je propose donc à Iris de nous exprimer la face cachée de sa peur — le refus d'avoir besoin des autres et de leur donner ainsi de l'importance à ses yeux. Elle ne s'en rend pas compte, mais ce refus la coupe de toute possibilité de capter les inspirations et le soutien du Cœur Créateur.

On aurait dit qu'Iris attendait cette permission depuis des lunes. Elle se redresse et nous lance aussitôt un « ça me fait chier d'avoir besoin des autres ! » bien juteux qui se transforme ensuite en « ça me fait chier d'avoir tant besoin de vous ! » Grâce à cet aveu débordant d'énergie, elle est passée d'éteinte et contractée à vivante et ouverte. On rit toutes de cette culbute renversante. Je suggère alors à Iris de s'ouvrir à son besoin en notre présence. Elle nous regarde à tour de rôle et nous l'exprime généreusement. Elle respire enfin. Son cœur se déploie et nous transmet des ondes amoureuses.

Ô surprise ! En acceptant d'avoir besoin de nous, Iris retrouve son sentiment d'être assez. Et, comme par magie, elle se réconcilie avec une part de sa *pressence* aussi. En trois bonds de fée, le « j'ai peur des autres et je suis moins bonne que les autres » se transforme en « je vous aime tellement, je vous admire, je vous trouve belles ». En cours de route, Iris revoit une image d'elle-même enfant. Celle-ci la remet en contact avec sa grande capacité d'autrefois à aimer et à admirer avec plaisir : « Ma jalousie est l'envers de cette petite fille si capable d'aimer, de voir la beauté, le talent, la bonté sans l'envier, la détester, la renier ». Excitée, elle ajoute : « J'ai hâte d'offrir mon amour, mon admiration et mon soutien à ceux avec qui je joue demain. J'ai le goût de jouir de leurs talents. » Voilà ! Accepter d'avoir besoin des autres nous ouvre à l'amour et participer à l'épanouissement de notre entourage nous rend plus libres et créateurs.

Quelques mois plus tard, une Iris radieuse nous annonce une bonne nouvelle. Nos rencontres ont redonné vie à son âme d'artiste qui se mourait. Elles lui ont permis d'écrire une scène, issue du flot vibrant de son expérience, et de la jouer en public en offrant sans retenue sa vraie présence. Elle vibre encore lorsqu'elle nous décrit les réactions inespérées de son auditoire. Ce dernier a été touché et enthousiasmé au-delà de ce qu'elle aurait pu souhaiter. En fait, nos rencontres lui ont permis de s'aimer telle qu'elle est, pour s'ouvrir, créer et s'exprimer à partir de sa *pressence*. DJ Allegro a sûrement fait le reste.

Qui va là et *Pourquoi* ?

De fil en aiguille, chacune apprend à se questionner sur le *Qui* et le *Pourquoi* à l'œuvre derrière ses malaises. Rose nous en donne un bel aperçu dans un courriel.

« J'étais fâchée et, en plus, fâchée de l'être... Jusqu'à ce que je m'assoie et prenne conscience de quelle partie de moi était blessée, grognait par en dedans et t'en voulait, Jade ! C'était, bien sûr, l'orgueilleuse, la grande compétitrice, la celle qui a donc besoin d'être la _plussse_ meilleure, qui déteste se faire prendre en faute et qui a les yeux vissés sur son nombrilique petit moi ! Ça me rend toujours tellement triste quand je la vois à l'œuvre, celle-là... Je vous disais d'ailleurs, cette même journée, que c'était sa rencontre et sa mise à nu devant vous quatre qui a été un tournant dans nos échanges. Ce qui m'a fait vraiment du bien, ça a été d'arriver à dire : "Jade avait raison, je l'ai pas" ! J'ai vraiment un gros ego qui se met en travers de mon cœur à tout moment et m'empêche d'aimer de toute mon âme ! Puis, j'ai repensé à ce que tu disais, Iris, à la petite fille que tu étais, curieuse, observatrice, amoureuse des autres, et je me suis rappelée ma petite aussi. Celle qui, à huit ans, en plein milieu d'un jeu, d'une course, était tout à coup prise d'assaut par une bouffée, une immense montée d'amour qui me traversait le corps, pour rien, ou simplement pour un soleil radieux ou l'odeur d'une fleur. Des fois, j'arrêtais le jeu et je disais à mon amie : "Vite, on va à l'église" ! On partait à la course pour entrer dans ce lieu silencieux et frais où nos respirations bruyantes et nos genoux sales contrastaient, mais il me semblait que c'était le seul endroit assez grand pour recevoir l'élan d'amour et de joie qui m'avait envahie. J'aurais pris le monde entier dans mes bras ! Je te remercie, Iris, pour ce rappel. J'ai le goût de faire revivre cette petite fille en moi et je crois bien qu'elle a le goût aussi. Il me semble que j'ai déjà su aimer à partir de la bonne place. C'est avec vous que je veux retrouver mon chemin ! »

Le théâtre du Cœur Créateur

Cette fois-ci, les fées arrivent en grappes, nimbées d'une aura d'excitation et de mystère. Leurs objets _créacœur_ sont cachés dans leurs sacs. Il y a de l'anticipation dans l'air ! À notre dernière rencontre, je les ai invitées à fabriquer l'archet et les antennes de leur trousse de vérité. Ils capteront leurs vibrantes vérités et feront chanter leurs cordes sensibles. On reçoit d'abord chacune dans ce qu'elle vit présentement. Je leur demande ensuite de nous présenter leurs inventions. De nous faire part de leurs tâtonnements, de leurs trouvailles et des états d'âme qui ont accompagné leur fabrication. Le cœur en joie, je les regarde déballer leurs créations originales. Elles traduisent à merveille les couleurs et les saveurs uniques de leur *pressence*.

Jade se lance à l'eau la première avec une réserve teintée d'un certain contentement. Ses outils de vérité joyeux et ludiques sont accueillis par une vague de oh ! et de ah ! Elle nous raconte comment elle a dû abandonner sa première idée pour ensuite se laisser guider par les inspirations qui sont nées dans le feu de l'action. Le premier tour de piste terminé, elle nous surprend en reprenant le plancher : elle est déçue, elle espérait plus d'enthousiasme de notre part. Jusqu'à ce qu'elle réalise qu'elle nous a raconté son périple sans y injecter l'enthousiasme qu'elle-même ressentait. Comme quoi on n'a pas accès à la qualité de *pressence* qu'on ne donne pas ! On l'invite à réitérer. Ouverte à nous, plus vulnérable, elle recommence son récit en y mettant toute la joie qu'elle gardait en réserve. Aussitôt, elle vient chercher la nôtre. Cette fois-ci, elle nous a offert non seulement son histoire et ses créations, mais aussi sa *pressence*. Ça fait toute la différence. On est touchées, inspirées par son parcours. On partage sa vitalité retrouvée. Elle nous décrit plus tard comment cette manière de donner librement sa présence et de recevoir celle des autres est fructueuse pour elle. Elle s'en sert avec bonheur lorsqu'elle se retrouve sur scène.

Mine de rien, en nous offrant ainsi leurs inventions et leurs réactions, elles peuvent saisir sur le vif comment elles interagissent avec leurs créations. Sont-elles prêtes à les soutenir aux yeux du monde ou non ? Et jusqu'où ? Une occasion de plus pour ces artistes de dépasser les intérêts et les contractions de leur petit moi pour libérer leur présence authentique et faire notre joie. Pour être portées et transportées dans leurs expressions artistiques par les courants du Cœur Créateur. C'est le théâtre du Cœur Créateur, quoi !

Par exemple, en voyant les archets et les antennes de ses complices, Rose s'inquiète tout haut : est-ce que les siens sont assez beaux et originaux pour être à la hauteur de ses sœurs ? Dommage, car à nos yeux, ils sont les fruits parfaits de sa présence riche et terrienne agrémentée d'une légèreté rafraîchissante. Quand vient le temps de se mouiller, cette tendance à vouloir être à la hauteur — ou plutôt, comme elle nous l'a confié dans le courriel précédent, à être *la plussse* spéciale — la rend tendue et fébrile. C'est qu'elle ne peut se contenter de notre simple joie en réponse à ses élans. Elle est trop prise ailleurs. Trop occupée à susciter notre admiration et notre envie plutôt qu'à faire notre bonheur et le sien. On l'exhorte en chœur à apprécier ses objets de vérité qu'on adore. Elle finit par les adopter et nous fait avec plaisir le récit de leur émergence et de leur éclosion. Elle rayonne. Un pas de plus vers l'amour et la liberté.

Au tour d'Iris maintenant. Recroquevillée sur elle-même, elle nous présente timidement ses réalisations colorées, inventives et délicates. Je lui fais remarquer qu'au lieu de les soutenir, elle semble diminuer et renier ses rejetons. Elle réalise, sonnée, à quel point elle se laisse tomber. Elle éclate en sanglots, et choisit ensuite de prendre sa progéniture sous son aile en nous la présentant avec une tendresse qui est belle à voir. Quel enchantement ! Enfin, on a accès à l'opulence de son monde. À travers elle, les autres fées saisissent mieux comment elles trahissent, chacune à leur manière, leur progéniture créatrice.

Il ne manque plus que Lily dans le portrait. Toute fière, elle nous montre son bel archet et ses antennes rigolotes si fantaisistes. On se réjouit avec elle. Elle en profite pour nous parler de ses réticences à soutenir ses créations lorsque vient le temps de les mettre au monde. Elle nous décrit les mille et un détours qu'elle fait pour ne pas rencontrer la moindre possibilité de rejet, vivre le plus petit malaise. On ne va pas loin avec ça. Dans le cas de Lily, la plupart du temps, on ne va nulle part. Elle a tendance à se retirer dès les premiers obstacles. Elle espère qu'un brave chevalier rencontrera à sa place les difficultés et les inconforts inhérents à toute gestation ou promotion. Ou bien qu'un génie en manque de prouesses les fera disparaître comme par enchantement. Il y a de l'espoir toutefois. Après une de nos rencontres en privé, Lily a décidé, avec tremblements et balbutiements au menu, d'aller présenter sa dernière réalisation à des diffuseurs potentiels. Son intention ? Être solidaire de ses élans et de ses accomplissements créateurs. Avec une telle motivation, pas étonnant que ça ait porté fruit ! Les autres fées s'empressent de résonner à ses difficultés, la félicitent, l'encouragent à continuer.

À travers la présentation de leurs accessoires, j'ai l'impression d'assister à la naissance du théâtre du Cœur Créateur. D'être invitée au baptême de l'amour véritable, celui qui participe corps, cœur et âme au plein essor de l'autre, que ce soit une personne, une création ou une qualité essentielle. Leurs créations, affranchies du carcan de leurs images et de leurs contrôles, et portées par le flot de leur *pressence*, s'épanouissent sous nos yeux. Cette liberté venue tout droit de l'amour fait tomber les barrières et nous plonge ensemble dans les riches courants du Cœur Créateur.

On en sort allumées à l'intérieur. Plus que jamais ouvertes sur l'extérieur.

Un billet aller-retour pour l'amour

Aujourd'hui, encore à mon tour de me faire prendre dans le détour. Avant chaque session, pour me raccorder au Cœur Créateur, je me pose cette question : *qu'est-ce qui cherche à émerger de beau, de bon et de nouveau à travers moi, en lien avec mes participantes et en accord avec le Cœur Créateur ?* Cette fois-ci, trois mots simples, beaucoup trop personnels à mon goût, surgissent de mon for intérieur : *J'ai besoin d'amour.* Hein !?! Moi qui avais prévu leur offrir des cœurs de différentes couleurs. Des symboles concrets de l'amour qui circule parmi nous. Ça avait l'air tellement généreux ! Bon, faisons marche arrière. Dois-je vraiment exprimer ce besoin à mes fées ? Eh oui ! Dès que j'accueille ces mots, je me sens portée par un flot de vie, ancrée dans l'instant, réceptive à ce qui m'entoure. Vas-y ma Denise, on ne discute pas avec un ressenti si éloquent !

De toute façon, ne suis-je pas censée savoir que, si je l'embrasse, les ondes contagieuses de ma vérité permettront au Cœur Créateur de rejoindre mes participantes et de les faire évoluer vers ce qui leur tient à cœur ? Si elles s'ouvrent et se laissent toucher, un mouvement authentique, en accord avec ce qu'elles sont et ce qu'elles souhaitent profondément, s'éveillera en elles. Comment ? No lo se ! La merveille, c'est que je n'ai pas à m'en préoccuper. Je sais que ce mouvement enrichira et agrandira le tissu de nos liens et de nos vies.

Je décide donc de leur offrir mes petits cœurs au début de notre rencontre. Je leur révélerai en temps voulu l'inspiration que j'ai reçue. Elles arrivent une après l'autre, toutes excitées de se retrouver. Ravies, elles découvrent sur leur fauteuil respectif un cœur rouge, bleu, ivoire ou mauve. Elles babillent, rient et s'exclament en chœur. Quelle couleur le tien ? Oh ! Il est beau. Ah ! Ma couleur préférée. Quelle bonne idée ! Puis s'installent pour la visite guidée de leur univers intérieur. Ensuite, vient le tour de piste de la vérité vibrante. À moi maintenant de plonger. Non sans un brin d'appréhension quand même. Je leur exprime le besoin d'amour qui s'est pointé en réponse à la question *créacœur* que je me suis posée plus tôt. Surprise ! Elles se lèvent comme une seule femme et viennent à moi d'un même élan. Me voilà soudain enveloppée d'amour. Leurs cœurs multicolores collés sur mes bras, mon dos, mes jambes ou ma tête ! Je m'attendais à tout, sauf à ça. J'éclate en sanglots. Deux secondes plus tard, comme ça arrive souvent lorsque je m'abandonne profondément, j'éclate de rire. On dirait une vraie folle, mais on s'en fout ! Je lève la tête. Je suis tatouée de petits cœurs, entourée d'yeux amoureux et rieurs. Retour en force de l'amour que je leur ai transmis tout au long de nos sessions.

Même si j'avais voulu, je n'aurais jamais pu inventer une telle finale pour ce conte de fées ! Ce que vous ignorez, c'est que je n'arrivais pas à terminer ce chapitre-ci. Une semaine plus tôt, alors que j'explorais la source de cette panne d'écriture, les mêmes mots m'étaient venus : *J'ai besoin d'amour.* Je ne voyais pas le rapport. Mais comme ça correspondait à mon senti, je les ai quand même reçus. Sans saisir ni le pourquoi, ni le quand, ni le comment.

Le lendemain de notre réunion de fées, je leur annonce la bonne nouvelle : « Ô miracle, j'écris ! » Elles n'en reviennent pas. Moi non plus. Ce qui ne nous empêche pas de nous en réjouir et de nous en émerveiller ensemble.

Qui aurait cru que c'est l'amour de mes fées qui allait remettre mon flot créateur en branle ? Quel heureux mariage entre l'amour et la création ! L'amour que j'avais besoin de recevoir pour nourrir ma création était exactement celui qu'elles devaient me donner pour libérer davantage leurs élans créateurs de l'emprise de l'ego. Elles se rapprochent ainsi de la réalisation de leur vœu : créer par amour et dans l'amour. La respiration des relations à son meilleur.

La vie continue. Aux dernières nouvelles, nos quatre fées sont occupées à créer ensemble dans la joie, la liberté et l'amour. Chaque jour, elles renouvellent leur choix d'aimer et de créer à partir de tout ce qu'elles rencontrent. Vous les reconnaîtrez sans doute à leurs antennes et à l'effet enchanteur que leurs œuvres produiront sur vos cordes sensibles.

L'étonnante révolution du Cœur Créateur *with a little help from my friends*

Le fin fond de toute cette histoire ? Pour découvrir et libérer le meilleur de vous, vous devez vous ouvrir aux autres et participer de tout cœur à l'émergence du meilleur d'eux, en acceptant leur soutien pour l'éclosion du vôtre. Participer de tout cœur, c'est leur offrir votre vraie présence, vos yeux doux, vos vérités vibrantes, votre compassion, votre émerveillement, vos élans, votre reconnaissance pour ce qu'ils sont et pour la différence qu'ils font dans votre vie, votre appui concret et moral, vos inspirations créatrices. Pour ensuite recevoir les leurs avec gratitude.

Autrement dit, en définitive, c'est l'amour qui circule librement entre nous qui met au monde nos dons uniques et essentiels. C'est l'amour qui les fait fructifier pour la plus grande joie de tous. Et, c'est l'amour qui nous permet d'en jouir à chaque instant. En nous faisant vibrer autrement, il nous ouvre à plus grand et il accorde nos cordes sensibles aux magnifiques harmonies de DJ Allegro.

En épousant cette réalité incontournable, vous serez portés et transportés par ses mouvements et ses liens inespérés. C'est l'état de grâce au quotidien. La création d'un monde merveilleux et délicieux pour tous.

Vous avez oublié la clé de cet art contagieux ? Voyez les autres comme des occasions rêvées de libérer votre flot *créacœur* et vos dons essentiels. Comme des invitations à devenir un canal pour les largesses du Cœur Créateur. Des portes d'entrée vers un univers insoupçonné que vous ne pourriez atteindre seuls. Comme des réponses à vos vœux les plus chers. Des alliés, des guides et des muses pour créer un monde fertile et captivant grâce à vos dons.

Avec cette clé, vous êtes à même de recevoir et d'offrir comme un don tout ce qui se passe dans vos échanges. Ne l'oubliez pas, l'autre c'est tout et rien. Un rôle que vous jouez. Une chanson que vous interprétez. Un projet qui vous tient à cœur. Un de vos proches. Un milieu. Un objet. Un sentiment. Une image. Une difficulté. Un élan.

Pour devenir les accoucheurs et les gardiens de ce flot si fécond, posez-vous encore et encore ces questions essentielles : *qu'est-ce qui me permettrait d'être plus ouvert, vivant, inspiré en présence de cette personne ou de cet obstacle ? Comment cette circonstance ou cet état intérieur m'invitent-ils à être plus créateur, amoureux ? Qu'est-ce qui cherche à être aimé et libéré en moi face à cette situation ?* Vous recevrez alors des inspirations et des élans qui vous allument, des sentiments qui vous ouvrent, une joie et une vitalité qui gonflent vos voiles.

Je me pose d'ailleurs une question de la même famille en présence de chacun de mes participants : *comment puis-je libérer et leur offrir mon flot créacœur de manière à les faire déboucher sur le monde inespéré du Cœur Créateur ?*

Comme Alice au Pays des Merveilles, ces belles questions nous plongent tous ensemble dans l'aventure captivante et le monde fascinant du Cœur Créateur. On peut alors improviser nos vies en accord avec les forces créatrices et amoureuses de l'univers.

J'espère que, comme moi, vous êtes tombés amoureux du Cœur Créateur. Si oui, vous avez maintenant ce qu'il vous faut pour libérer votre *pressence*, devenir un canal pour le Cœur Créateur et participer à son étonnante révolution. Ancrées dans la respiration des relations, vos créations deviendront alors vibrantes et inspirantes et vos amours créeront des liens novateurs et bienfaisants entre nous tous.

À partir de maintenant, rappelez-vous. Vous baignez constamment dans un champ infini de possibilités amoureuses et créatrices. Vous êtes entourés d'appuis illimités pour mettre au monde vos plus beaux dons et vos plus grandes contributions. À condition, bien sûr, de vous aimer et de vous créer les uns les autres.

En présence de tout ce que vous vivez et rencontrez, vous pouvez vous exclamer sans calculs et sans retenue : « Bienvenue dans la danse pour la plus grande joie de tous » !

L'art de marcher pieds nus dans la source

Pratique hors champ

1- Pour marcher chaque jour pieds nus dans la source

Vous souvenez-vous du moment de grâce que vous avez décrit au premier chapitre, dans la pratique de l'intention coureuse de fond ?

Retrouvez-le, relisez le mini conte que vous avez écrit pour le traduire et repérez les trois éléments essentiels à l'état de grâce : l'abandon à la réalité présente, la découverte d'instant en instant et l'accord avec l'entourage. Puis rassemblez ces trois composantes dans une courte phrase. Voici celle d'une participante qui a connu cet état en jardinant : « Je suis complètement absorbée dans ce que je fais et je crée de la beauté pas à pas pour faire le bonheur de ceux que j'aime. »

Trouvez ensuite un symbole simple et concret qui représente cet état. Ressentez intuitivement quel est le meilleur endroit sous vos pieds pour le placer. Dessinez-le avec un crayon-feutre lavable. Vous pourriez, par exemple, tracer un soleil, un cœur, une fleur, un cercle ou une flamme sous votre talon, votre gros orteil ou le centre de votre pied.

Allumez maintenant une chandelle. Faites un vœu *créacœur : je choisis aujourd'hui de...* », et terminez en ajoutant la phrase que vous avez créée plus haut.

Enfin, levez-vous et marchez pieds nus dans votre source amoureuse et créatrice en la laissant guider vos pas.

Vous réalisez dans la journée que vous êtes loin de cet état ? Tournez votre alliance dans votre doigt en disant :

— *Ce que je vis maintenant est parfait pour aimer et créer avec le Cœur Créateur.*

Profitez-en pour visualiser votre symbole. Si possible, massez-le doucement en vous posant une de ces questions :

— *À quoi ai-je besoin de m'ouvrir présentement pour libérer mon flot créacœur et marcher pieds nus dans ma source ?*

— *Qu'est-ce que j'ai besoin de recevoir et d'offrir maintenant pour... ?* ajoutez votre phrase.

Mettez votre mental sur pause et attendez qu'une inspiration vous rende visite. Suivez-la.

Le soir, avant d'effacer votre symbole plantaire/planétaire, rappelez-vous le moindre instant de grâce que vous avez vécu dans la journée. Décrivez-le et notez ce qui se passait alors pour vous. Avec qui vous étiez, ce que vous ressentiez, ce qui vous a permis de vivre ce moment. Remarquez si quelqu'un vous a aidé ou accompagné là-dedans. Remerciez-le.

Sur une musique qui vous inspire, improvisez quelques mouvements ou une danse pour célébrer et ancrer ces instants. Laissez-vous porter par vos pieds tatoués — votre cœur, votre flamme ou votre soleil. Qu'ont-ils à exprimer à travers vous ? Laissez-les vous danser.

Si une nouvelle image surgit pour représenter cette expérience, dessinez-la le lendemain matin à l'endroit sous vos pieds qui semble lui convenir.

Trouvez maintenant un contenant à votre goût qui vous tiendra lieu de coffre au trésor. Sur des bouts de papier, écrivez une petite histoire ou une phrase qui résume chacun de vos moments de grâce.

Gardez-les dans ce coffre pour les jours où vous avez besoin d'un remontant ou d'un rappel.

Refaites cette pratique aussi souvent que possible.

Pratiques sur le champ

1- Célébrez la respiration des relations au jour le jour

Empressez-vous d'aller acheter des chandelles d'anniversaire. Lorsqu'une personne vous touche, vous inspire, vous réjouit, vous réconforte ou vous soutient, offrez-lui une chandelle pour souligner et célébrer la différence qu'elle fait pour vous à ce moment-là.

Comme celle des étoiles collantes au chapitre 6, cette pratique si simple en apparence cultive la respiration des relations, vous amène à recevoir et à donner dans l'instant, vous met à l'écoute de votre entourage, vous permet de vous laisser toucher par ce qu'il vous apporte de bon, vous entraîne à aller dans l'inconnu et à danser avec l'imprévu, rend votre quotidien inspirant et captivant et vous exerce à faire le bonheur des autres par la qualité de votre présence, de votre attention et de votre gratitude.

Du même coup, vous dépassez vos craintes d'avoir l'air téteux, totos ou cucul, ce qui n'est pas peu dire. Ces peurs sont des obstacles majeurs à notre liberté d'aimer et de créer. Comme mes participants, vous risquez d'être surpris de voir avec quelle candeur et quel bonheur la plupart des gens reçoivent ces joyeuses chandelles. En prime, vous serez étonnés des effets réjouissants et inattendus qu'elles auront aussi sur vous.

2- Libérez-vous en libérant les autres

Pensez à une personne de votre entourage qui traverse un passage ou des difficultés semblables aux vôtres. Écrivez quelques mots sur elle comme si elle était un personnage de roman ou de film. De quoi a-t-elle l'air en ce moment ? À quoi pense-t-elle ? Que vit-elle ? De quoi a-t-elle le plus besoin ? Qu'est-ce qui l'encouragerait ou l'inspirerait le plus ?

Dans les jours qui suivent, dénichez-lui ou fabriquez-lui un présent de votre choix : un texte, une danse, un dessin, un objet qui a du sens pour vous ou qui évoque quelque chose qui vous fait du bien. Offrez à cette personne ce don du cœur. Prenez le temps de sentir comment le simple fait de préparer et donner ce cadeau vous a fait faire un pas de plus en dehors de votre bulle. Comment vous sentez-vous maintenant ?

Je propose régulièrement cette pratique à mes participants. Je leur demande d'apporter un présent pour réconforter ou donner un coup de pouce à quelqu'un qui rencontre des obstacles semblables aux leurs. Voici un aperçu de ce que j'ai reçu. Une pierre qui voit clair (elle représente la clarté mentale semble-t-il), un gros hameçon pas piqué des vers (quand il va à la pêche, l'homme qui me l'a apporté se sent en paix et entouré d'un environnement sécurisant), des graines de toutes sortes pour planter dans l'inconnu (même si on ne sait pas ce qui va émerger d'elles, on doit y porter attention et en prendre soin pour qu'elles poussent), un cœur qui fait de la musique lorsqu'on tourne la clé placée à l'intérieur, un dessin accompagné des mots « la main sur ton épaule, je te tiens compagnie », une boîte qui nous révèle un secret quand on l'ouvre, des phrases évocatrices dans des contenants disparates et une collection de cœurs de toutes sortes, des mous, des doux, des transparents, des dentelés, des solides, des parfumés... Ça vous donne une idée de ce que vous pourriez offrir ?

J'adore voir ces dons se transformer au contact des gens avec lesquels je les utilise. Je peux aussi bien chanter une berceuse ou un rap comique en m'accompagnant de la boite à musique en forme de cœur, présenter l'hameçon à une personne prise dans un problème et lui demander ce qu'il évoque chez elle pour faire surgir de nouvelles pistes (incroyable ce que chacun découvre en présence de cet objet), offrir à quelqu'un d'autre la pierre qui voit clair (et qui sait déjà les réponses aux questions qu'on se pose) pour qu'il se laisse surprendre par sa propre sagesse enfouie, demander à un chanceux de sélectionner un des cœurs de ma collection pour se laisser toucher et guider par lui... On va de surprise en surprise, de découverte en découverte, d'ouverture en ouverture.

Une dernière invitation

Êtes-vous prêts à vous unir à nous tous pour participer au théâtre du Cœur Créateur et faire circuler son souffle chaud et libre parmi nous ? Voulez-vous collaborer à son étonnante révolution ? Oui ? Alors, faites-le entrer sur la scène de vos vies et laissez-vous porter par les musiques de DJ Allegro. Sortez vos chandelles pour célébrer la beauté des liens inespérés qui se tissent en nous et entre nous. Et n'oubliez surtout pas d'offrir vos dons et vos créations du cœur à vos proches !

Et, si le cœur vous en dit, décrivez-moi les trouvailles, les dons et les réalisations que vous faites, les nouvelles connexions et les transformations que vous vivez grâce à la lecture, aux pratiques et aux rituels profonds et folichons du Cœur Créateur. Vous pouvez me les envoyer à : info@improrelations.com. Avec votre permission, je publierai certains de vos témoignages sur mon site où j'ajouterai graduellement de nouvelles pratiques et répondrai aux questions que vous me poserez (www.improrelations.com).

LES MOTS DU CŒUR CRÉATEUR
ou comment parler la langue de DJ Allegro

Je vous offre deux définitions pour chaque mot et chaque expression :

1. sa nature   2. son processus

Le Cœur Créateur ou DJ Allegro :
1. Un improvisateur né aux ressources créatrices et amoureuses inépuisables.
2. Une intelligence globale, doublée d'un immense cœur ingénieux et d'un corps fait de liens vibrants, qui incorpore tout ce qui se passe dans nos vies dans une danse amoureuse qui crée d'instant en instant un monde inespéré pour tous.

Créacœur :
1. Créateur et amoureux.
2. Un heureux mariage d'amour et de création qui donne naissance à un monde captivant et épanouissant pour chacun de nous.

L'essence :
1. Notre nature authentique, profonde, libre, amoureuse et créatrice.
2. Le parfum unique et bienfaisant qui émane de nous quand on embrasse avec cœur qui on est et ce qui nous habite dans l'intention de nous ouvrir et de découvrir du beau, du bon et du nouveau.

La pressence :
1. L'expression libre et généreuse de notre essence dans nos interactions.
2. La circulation et la respiration des mouvements créateurs et amoureux de notre essence dans nos relations et nos créations.

Le corps vibrato :

1. Notre corps vibrant, intuitif, fluide et ouvert qui loge notre essence, canalise les courants du Cœur Créateur et capte les accords de DJ Allegro.

2. Le véhicule et l'instrument de notre essence dont les cordes sensibles vibrent et s'harmonisent au contact de la vérité, de la beauté, de l'amour et de l'inédit. Ses sensations de flux et de non-flux nous indiquent si on est accordés ou non au flot *créacœur* de notre essence.

Le flot créacœur :

1. Le flot vivant, libre, créateur et amoureux de notre essence dans le corps vibrato.

2. Le courant d'amour, d'inspirations et de vie qui se libère lorsqu'on embrasse avec cœur ce qui émerge en nous en restant ouverts à notre entourage.

La respiration des relations :

1. L'aller-retour entre nous des courants amoureux et des inspirations du Cœur Créateur, ou si vous préférez des harmonies inédites de DJ Allegro

2. Les forces vives, amoureuses, libératrices et créatrices du Cœur Créateur qui respirent et circulent à travers nous lorsqu'on choisit de recevoir et d'offrir comme un don tout ce qui se passe pour nous.

Le mental isoloir :

1. La part de notre mental qui nous déconnecte de notre flot *créacœur* de notre *pressence* et qui nous isole par ses illusions.

2. La partie de nous qui, sous prétexte de nous protéger, nous coupe de notre *pressence* et des musiques de DJ Allegro en nous gardant en lutte contre ce qui nous habite et nous entoure.

L'échec créacœur :

1. C'est la défaite du mental isoloir avec ses luttes de pouvoir, ses cercles vicieux et ses fermetures à double tour.

2. L'échec des manières d'être et d'interagir qui entravent le flot *créacœur* et qui nous empêchent de recevoir ce qui nous tient à cœur.

La vérité du cœur :

1. La vérité simple, vibrante, surprenante, désarmante, libératrice et contagieuse.

2. La vérité présente qu'on embrasse avec cœur et qui, en nous reliant aux autres, *nous* ouvre, *nous* fait vibrer, *nous* fait découvrir du nouveau.

L'intention coureuse de fond :

1. L'intention d'aimer et de créer à partir de tout, pour la plus grande joie de tous.

2. L'intention de tout recevoir et de tout offrir comme un don pour nous ouvrir et découvrir du bon, du beau et du nouveau à partir de tout ce que la vie nous présente.

Les intentions anti-flot ou les « ne pas » :

1. Les intentions qui bloquent notre flot *créacœur* et qui emprisonnent notre *pressence*.

2. Les *ne pas* qui nous gardent en réaction contre nous-mêmes et notre entourage pour nous donner une fausse impression de contrôle sur ce qu'on vit et sur le monde.

Les questions créacœur :

1. Des questions qui nous ouvrent et nous donnent accès aux possibilités créatrices et amoureuses du Cœur Créateur.

2. Des questions qui font le pont entre ce qu'on vit, rencontre et désire pour laisser émerger le mouvement essentiel, unique et inédit qui nous permettra de répondre à nos aspirations profondes pour la plus grande joie de tous.

Les yeux doux :

1. Une attention à la fois décontractée, réceptive, éveillée, curieuse, amoureuse et créatrice dont une partie reste centrée dans le corps vibrato.

2. Un regard détendu et invitant qui, jumelé à une question *créacœur*, capte les possibilités nouvelles contenues dans l'inconnu d'une situation, d'un projet ou d'un état intérieur.

L'écoute-connexion :

1. Une écoute qui nous connecte authentiquement et amoureusement à nous-mêmes et à notre entourage.

2. Une qualité d'ouverture à soi et à l'autre qui nous relie ensemble en nous raccordant aux mouvements amoureux du Cœur Créateur à travers la vérité vibrante de chacun.

L'écoute-création :

1. Une écoute qui nous donne accès d'instant en instant aux possibilités naissantes du Cœur Créateur par le biais de nos interactions.

2. Une qualité d'attention et de réceptivité qui nous amène à découvrir les mouvements créateurs inclus dans nos liens avec l'entourage pour participer à une création commune qui répond de manière inespérée aux aspirations de chacun.

Bibliographie

Bache Christopher M., *The Living Classroom*, Suny, 2008

Bédard Jean, *Le pouvoir ou la vie*, Fides, Canada, 2008

Bobin Christian, *Souveraineté du vide. Lettres d'or*, Gallimard, Paris, 2007

Bruteau Béatrice, *The Grand Option*, University of Notre Dame Press, Indiana, 2001

Doc Childre et Howard Martin, *Hearthmath Solution*, Harpers Collins, New York, 1999

Dorion Hélène, *L'étreinte des vents*, Presses de l'Université de Montréal, Canada, 2010

Féral Josette, *Mise en scène et Jeu de l'acteur*, Éditions Jeu/Lansman, Montréal, 2001 (citations d'Eugenio Barba)

Gendlin Eugene T. *Focusing- au centre de soi*, les Editions de l'Homme, Montréal, 2006

Gilligan Stephen, *The Courage To Love*, Gilligan, 1997

Gougaud Henri, *Les Sept Plumes de l'aigle*, Éditions du Seuil, Paris, 1995

Grimaud Hélène, *Leçons particulières*, Robert Laffont, Paris, 2005

Guskin Harold, *How to Stop Acting*, Faber and Faber, Inc, New York, 2003

Halpern Charna, Del Close, Kim Johnson, *Truth In Comedy*, Meriwether Publishing, Colorado Springs, 1993
- *Art By Committee*, Meriwether Publishing LTD, Colorado, 2005

Hazenfield Carol, *Acting On Impulse*, Coventry Creek Press, Berkeley, 2002

Hickman Darryl, *The Unconscious Actor*, Small Mountain Press, 2007

Hyde Lewis, *The Gift*, Vintage, 2007

Jodorowsky Alexandro, *Le théâtre de la guérison*, Albin Michel, Paris, 1995
- *La danse de la réalité*, Albin Michel, Paris, 2004

Jones Michael, *Artful Leadership*, Pianoscapes, 2006

McNiff Shaun, *Art As Medicine*, Shambhala Publications, Inc., Boston, 1992

Mindell Arnold, *Sitting In The Fire*, Lao Tse Press, Portland Oregon, 1995

Nachmanovitch, *Free Play*, Penguin, New York, 1990

Owen Harrison, *The Spirit Of Leadership*, Berret-Koehler, San Francisco, 1999

Quinn, Robert E. *Building The Bridge As You Walk on It*, Jossey-Bass, San Francisco, 2004.

Rojzman Charles, *Savoir vivre ensemble*, La Découverte, Paris, 2001

Scharmer Otto, *Theory U*, Sol, Cambridge, Mass, 2007

Senge, Scharmer, Jaworski, Flowers, *Presence*, Doubleday, 2005

Zander Benjamin et Rosamund, *The Art Of Possibility*, Harvard Business School Press, 2000

Table des matières

Parcourez ce livre en partant du bon pied   7

Premier mouvement

Aimez et créez en duo avec le Cœur Créateur   11
ou comment être un Picasso sans toucher ao pinceau

L'invitation, la règle d'improvisation, l'essentiel   27

L'art des intentions coureuses de fond   28

Deuxième mouvement

Transformez vos échecs et vos obstacles   35
en possibilités inespérées !
ou comment mordre la poussière en beauté

L'invitation, la règle d'improvisation, l'essentiel   48

L'art d'être dans le champ pour le plus grand bien de tous   49

Troisième mouvement

Embrassez la vérité du cœur pour nous faire vibrer en chœur   57
ou comment faire chanter la mélodie du bonheur à vos cordes sensibles

L'invitation, la règle d'improvisation, l'essentiel   75

L'art de la vérité vibrante, désarmante, contagieuse   76

Quatrième mouvement

Dansez avec l'imprévu pour libérer votre flot *créacœur*   87
ou comment valser avec vos proches sans leur piler sur les pieds

L'invitation, la règle d'improvisation, l'essentiel   106

L'art de découvrir des mouvements inédits à partir   107
de tout et de rien

Cinquième mouvement

Apprivoisez l'inconnu pour accoucher sans contractions   115
*ou comment faire des mariages inespérés avec des
partenaires impossibles*

L'invitation, la règle d'improvisation, l'essentiel   136

L'art des questions *créacœur*   137

Sixième mouvement

Écoutez avec le cœur, le corps et l'esprit ouverts pour   145
la plus grande joie de tous
*ou comment avoir des bonnes connexions en se branchant
sur DJ Allegro*

L'invitation, la règle d'improvisation, l'essentiel   165

L'art des connexions créatrices et amoureuses   166

Septième mouvement

Changez le *Qui* et le *Pourquoi* pour changer votre monde   175
ou comment transformer vos travers en dons humanitaires

L'invitation, la règle d'improvisation, l'essentiel   199

L'art contagieux des intentions limpides   200

Huitième mouvement

Aimez-vous et créez-vous les uns les autres   209
ou comment réanimer vos âmes d'artiste grâce au cœur à cœur

L'art de marcher pieds nus dans la source   244

Une dernière invitation   249

Les mots du Cœur Créateur   250
ou comment parler la langue de DJ Allegro

Bibliographie   254

Le Cœur Créateur a été achevé d'imprimer

sur les presses de l'imprimerie Transcontinental

le 26 juillet 2010.